劉福春・李怡 主編

民國文學珍稀文獻集成

第四輯

新詩舊集影印叢編　第153冊

【趙景深卷】

荷花

上海：開明書店 1928 年 6 月 15 日初版

趙景深 著

【毛翰哥卷】

兩種力

上海：泰東圖書局 1928 年 6 月出版

毛翰哥 著

花木蘭文化事業有限公司

國家圖書館出版品預行編目資料

荷花／趙景深 著　兩種力／毛翰哥 著 -- 初版 -- 新北市：花木蘭文化事業有限公司，2023〔民112〕

88面／238面；19×26公分

（民國文學珍稀文獻集成・第四輯・新詩舊集影印叢編 第153冊）

ISBN 978-626-344-144-6（全套：精裝）

831.8　　111021633

ISBN-978-626-344-144-6

民國文學珍稀文獻集成・第四輯・新詩舊集影印叢編（121-160冊）
第153冊

荷花
兩種力

著　者　趙景深／毛翰哥
主　編　劉福春、李怡
企　劃　四川大學中國詩歌研究院
　　　　四川大學大文學學派
總編輯　杜潔祥
副總編輯　楊嘉樂
編輯主任　許郁翎
編　輯　張雅淋、潘玟靜　美術編輯　陳逸婷
出　版　花木蘭文化事業有限公司
發行人　高小娟
聯絡地址　235 新北市中和區中安街七二號十三樓
　　　　電話：02-2923-1455／傳真：02-2923-1452
網　址　http://www.huamulan.tw　信箱 service@huamulans.com
印　刷　普羅文化出版廣告事業
初　版　2023年3月
定　價　第四輯 121-160冊（精裝）新台幣 100,000 元　

荷花

趙景深 著

趙景深（1902～1985），四川宜賓人。

開明書店（上海）一九二八年六月十五日初版。
原書三十二開。

荷花
趙景深著

荷花
開明書店

前　　記

這本小小的詩集是按年月編排的，整整的六個年頭(1922—1927)，只留下三十八首詩。卽使我把好好壞壞的詩，一古腦兒搜集起來，恐怕也不到一百首罷？我從來不曾有意做過詩，都是逼到非寫不可纔寫出來的。

作詩是與心情有關的，我想。心情有變化，與尋常不同，詩也就愈多。平淡呆板的生活，一定產不出好詩。這裏的詩，從"一片紅葉"到"幻象"這九首都是一九二二年所作，從"泛月"到"老園丁"這十七首都是一九二三年所作；這兩年我第一次涉

V

足社會，依舊是孩子般的心情，所以充滿了愉快，歌頌着花，光，愛，出產也較多。後來當了幾年教師，忙着求食，詩也就不大唱得來了；所以一九二四年只有一首"中山輓歌"，一九二五年只有一首"牛頭湖之黃昏"和一首"荷花"。一九二六年雖仍是過的教師生活，但因正在新婚期中，所以能產出從"寄暢園"到"放翁的老年"這七首詩。最後兩首詩是一九二七年在海豐寫的。大體說來，一九二三年以抒情詩爲多，一九二四年以寫景詩爲多，一九二五年以後以敍事詩爲多。我的詩很少色彩的描繪，大都是以想像爲主，把自然當作"人格化"。我的詩從散文的逐漸變而爲

韻律的，也可以由編年的方法看出一個痕跡，小詩的影響，我受得很少，所以三四句的詩，在這本結集裏佔極少數，

我應該感謝幾個朋友，朱湘，葉紹鈞，徐調孚，諸兄替我修飾過一些字句，錢君匋兄替我繪封面並評論我的詩，田漢，滕沁華，孫席珍，周樂山，諸兄以及亡友白采，何星鈞，都替我選擇過詩，賜以口頭或文字的短評。

我的詩缺乏狂暴的熱情，所以題名"荷花"以顯出我作風的清淡。雖也做過"園丁的變像""老園丁""女絲工曲""花仙"等描寫農工的作品，總還是在做着童話般的好夢。但

VII

近來逐漸麻木，連夢都做不成了，詩也不會唱了，也許這第一詩集也就是我最後的詩集了罷？

一九二八年六月，趙景深。

目　次

IX

一片紅葉

——答謝亞薇的寄贈——

一片紅葉，
從好友的信裏到我的手裏，
我把玩着，反復看着，
覺得詩的興趣一絲絲
從葉裏抽出來了。

一片紅葉，
是不是胡適在山溪路上見着的，
是不是從荷馬墓上摘下來的，
是不是愛羅先珂的枯葉雜記裏的？

一片紅葉，
倘若這是情人寄給我的呵！

這甜蜜——這甜蜜，
綠的芬芳，紅的動人，
無限的愛蘊藏在這裏了。

一片紅葉，
倘若這是小孩寄給我的呵！
這愉快——這愉快，
美的歡笑，純的天真，
無限的喜蘊藏在這裏了！

我雖明知這是好友
從三貝子花園摘下來
很鄭重的寄給我；
但這葉的魔力，
使我心波起了聯想，
但覺得伊是許多美和自然的化身，

便覺得寄葉的使者也有許多化身

了。

秋 意

月亮將回家的時候，
我正在迷離惝恍的睡着，
似乎襲來一陣寒氣
將我從甜夢中喚醒。
是秋姊姊來了麼？

把被兒搭上些兒罷！
現在夢神又將香花灑我了，
我不由自主的又想睡了。
秋姊姊，請你不要惱我。

小小的一個要求

一

夜鶯飛到我的窗前，
停息在玫瑰枝上，
輕輕的軟語，
講那最有趣的故事破我寂寞。
這故事就從現在開始展開錦裳之幕
　了：

二

披粉紅裳的蝴蝶
翩翩的向東飛；
著水晶衣的蜻蜓
款款的向西去。
他們在花草叢中相值。
蜻蜓向蝴蝶彎了彎細腰，

蝴蝶向蜻蜓撲了撲美翅，
一個到碧波落日相映的明湖，
一個到黃花彩霞相映的菜畦。

一朝他們又遇着了。
蜻蜓要求着說：
"姊姊也曾看見棠棣麼？
搖曳着潔白如雪的花。
互相的偎傍着，
姊姊弟弟的呼喚，
是多麼的親熱呵！
好姊姊，你喚我一聲弟弟罷！"
空氣裏沈默了一會。

"那麼，姊姊也曾看見雛燕麼？
啾啾唧唧的談着甜蜜的話，

迴望着江天的雲樹，
姊姊弟弟的呼喚，
是多麼的親熱啊！
好姊姊，你喚我一聲弟弟罷！”
空氣裏依舊是沈默。

“那麼，姊姊總見過人間罷！
在那紅樓的一角裏，
燃着愉快之火的燈光下，
姊姊弟弟的呼喚，
是多麼的親熱啊！
好姊姊，你喚我一聲弟弟罷！”
空氣裏依舊是沈默。

三

故事還沒有終止，

幕兒便徐徐的，緩緩的垂下了，

夜鶯也振翼飛去了，

只剩我默默的思念着，

癡癡的惆悵着。

蝴蝶阿，

你允許蜻蜓小小的一個要求罷！

企　望

倘若我們幷肩坐在海邊，
罩在蔚藍的，慈愛的夜幕下，
望着遠遠的點點星帆，
凝視着水中央的一線
閃耀不定，金色輝煌的霞光，
說着甜甜蜜蜜的情話，
使那海石邊月映的屛之影
漸漸兒的閉倂，
我將怎樣的欣喜啊！

伊那豐潤的容顏，
伊那烏黑的眼珠，
伊那飽貯了喜的春之笑，
伊那充滿了愛的晨之光，

在在都使我縈繞在腦子裏，
很深刻的反映着照片。
我這汚濁的人兒，
想和伊同奏和諧的雅樂，
這是怎樣的荒謬而可笑呵！
我不敢這樣希冀着。
但伊若永遠做我親愛的姊姊，
將溫暖的，織錦雲的，綴明星的，
大衣圍護着我，把我這飢寒的
赤裸裸的心的孩子，
抱在伊的胸前，受伊的撫慰，
默默的聽伊柔和的愛之顫動，
也就是我極奢的願望了！

相　思

相思好似車輪，
喵喵的響着，
不住的轉着，
相思好似火燄，
熊熊的燒着，
不停的燃着；
情之輪轉了，
愛之火燃了，
忐忑不定的相思動了。
車輪就是輾壓在心上，
把心兒碎成一片片，
終是情願的呵！
火燄就是逞烈在心上，
把心兒炙得紅紅的，

終是愉快的啊！

哀呼婉轉的痛苦啊！

美妙甜蜜的相思啊！

盲　丐

微微的笑容露在盲丐的臉上。
因為當他唱着歌曲，
在大街上漫步時，
他聽見孩子們雜沓的足聲，
喧譁的喊聲，
和愉快的笑聲，
追隨在他後面了。
他心裏想着：
孩子們亮晶晶的星眼，
一定是不轉睛的向他望着；
他們活潑潑的心浪，
一定是因他而歡喜的跳着；
他們柔和的耳朵，
一定也要因他的歌聲比平時馴善。

雖然他的眼看不見，

他的心靈已經看得比水晶還明亮。

受咀咒的盲丐

在這時總算是得着慰安了！

他又將歌聲徐徐的唱起來，

微微的笑容又露在他臉上了。

櫻　葉

在更深夜靜的時候，

天使拿着涼的櫻葉

一次次不厭煩的

輕輕的拂我煩激之心，

得了極滿意的慰安，

便沈沈的睡在甜美的夢的搖籃裏，

將一切沈悶的陰影盡都抹去了。

哈著作家

爸爸媽媽都睡熟了，我靜悄悄的爬起，曳了鞋子，穿上棉衣。仰望窗外閃耀的星星，正在擠眉擠眼的向着我傻笑呢！我撥了撥爐火，擰燃了嫩綠的燈光，寫我幻構的童話，寫完放在我的小書包裏。第二天早晨不讓爹媽知道，就輕輕的投到郵筒裏。我遙祝可愛的綠衣人，千萬要替我寄到啊！

時時我念着我的傑作，果然在一天夜裏見着了。那本新出的雜誌上，繪着紅紅綠綠的封面；在花團錦簇的圖畫裏，居然有了我的名字。那名字好似印得格外清楚，一跳一躍的跳到我眼簾裏。我忙用手去捉，竟捉着了跳舞的陽光。那裏有什麼雜誌？我依舊是睡在牀上。

我將這夢告訴我的朋友，他們都笑我。我幾乎要哭了。我的阿白這時也欺侮我，向我汪汪的叫；我伸手要打牠，終於含着淚低聲來撫牠的毛。還是我妹妹好，她很親熱的安慰我："哥哥莫着急，總會登出來的。"

我不告訴你們後來怎樣，但過了些天，我的許多小朋友，都稱我做小著作家。我又可以爲我的夢而驕傲了！

幻 象

一 婦 人

是聖馬利亞，
穿着深藍的長袍，
戴着紫色的斗篷，
很沈靜的一步一步的走着，
穆穆的態度顯在伊的臉上，
圓的光輝罩在伊的頭上。

二 新 月

一顆剝了皮的香蕉
透出幽暗靜寂的藍林外。
伊那可愛的彎腰的窈窕呵，
伊那牛乳一般白的身體呵。

三　爐　火

黝黑的鐵的火門開了，
爐裏是如何的壯觀喲！——
疑是舞臺的幕啓，
裏面顯出蠻荒的景色來。

紅熾的火燄烈烈的向上冒，
煤塊被燃得烘烘呼喚。——
疑是奏演非洲野蠻的風俗，
黑的小人赤裸裸的，
彈着不知名的樂器，
狂一般的歡欣，在火堆裏跳舞。

泛 月

象牙般的玉船，緩緩的行去，

悄無聲的前進，只是默默的。

試船載的什麼？薄綿的雲衣，

船在何處浮泛？星浪的河裏。

一九二三，三，二五，

春　笑

在擡眼而含着喜氣的潔白的光裏，
看見綠寶石珠鏈一般的嫩的新柳
　條，
和那窗上波紋一般搖擺着的點點花
　球，
我這新愈的病足便喜得狂躍；
好似翼兒初曬得堅固的新生的蝴
　蝶，
雖仍有些兒疼痛也都忘掉了。

三，三。

柏之舞蹈

不知怎地我聽見園外樂聲時，

便微睇到山坡路上那幾顆小柏。

他們很活潑的曲着身子搖擺，

合着音樂的抑揚高下的音節；

只是不疲倦的動着笑着，

我的心波都被他們鼓舞得異常急
　迫。

四，二，天津公園，

西沽桃林

是誰家開盛宴，

請來如許的小天使，

同聲歡唱於桃花的彩篷下？

四，六。

桃林的童話

——給親愛的小妹慧深——

當我走到每兩顆樹相接
作成半弧形的桃林裏，
我便懷念着要編個小童話，
給我住在江南的妹妹寄去。

我要這樣甜蜜的向伊說：
‘桃花國裏是沒有男小孩的，
一個個都是嬌好的女子。
每當夜靜無人的時候，
伊們便披星衣而戴月冠，
手攜手兒作伊們的姊妹舞。
舞到興會淋漓的時候，
忘記了一切的一切，

要想住手也不能住了。
所以直到如今
桃林裏的樹枝都是密密相接的。"

但恐這童話太短，
阿妹又要我"再說一個別的"，
只得將牠織成一件詩裳，
也許伊也同樣的愛穿呢。

四，六，西浩。

北 地

——寄周得蒜——

朋友，你住居在柔和的花國，
也曾聽過雄壯的鈴聲麼？
在那沙塵和大風攜手，
狂一般的撲向人面的時候，
便挾着叮叮的聲響，
和着騾車的磷磷，
激起你別一種豪爽的風味了。

朋友，你住居在溫暖的花國，
也曾見過寒冷的冰河麼？
在那朔風和雪花相遇，
一夜吹凍了河水的時候，
便白茫茫的鋪成一片，

留住了許多待行的風帆，
激起你別一種堅毅的性格了。

我離別柔和溫暖的花國四年了。
雖是聽倦了鈴聲，見慣了冰河，
終感謝他們所給與我的，
使我融和了雄壯在柔和裏，
調劑了寒冷在溫暖裏。

但南邊的景色我又何嘗不思慕呢！
朋友呵，倘我能爲飛鳥，
一會兒在浩浩長江之上飄拂，
一會兒在滾滾黃河之上翱翔，
我將怎樣的感着複雜的異趣呵！

五，一一。

園丁的變像

我們讀新約時，知道耶穌在高山上變了形像，衣服閃閃的發光，潔白得無可比擬，有以利亞和摩西在他兩旁，圍繞在雲之圍裏，天國的花香裏。

今天我却親眼見到園丁的變像。

在柳蔭下，河岸邊，有三個赤着臂膊的園丁，露出被烈日炙成棕色的皮膚，扯着桔槔，提着河裏的水，一桶一桶的灌向菜圃，欣喜愉悅的工作着。

忽然園丁漸漸的變了，皮膚也漸漸的白了。綾羅一般單薄的衣衫蓋着他們的身體，衣縫飄飄的舉起。

水桶也漸漸的改變了，成了琉璃的玉盃，盛着瓊漿玉液，一杯杯高高的舉起，獻給社會，灑遍人間的各地。

六，二一。

小船中渴極思飲

夏熱蒸得我口渴了，
幸而是在小船裏，
有微微的河風送來。
但我仍是乾，渴，燥急的。

船夫似乎故意的弄槳，
翻起如散花的水沫，
紛紛的如玉液滿溢，
引誘得我更加乾渴。

河水也彷彿故意的波蕩，
使我如感到遍體清涼。
倘使我以兩岸爲甌，
抱着全河的水鯨吞般的發狂。

六，二一，

金鋼橋畔的燈火

靜寂得萬念俱滅，
當窺測這蔚藍的祕鑰。
隔岸的燈火依稀如螢，
我彷彿看見了釋迦佛。
他趺坐在蓮花寶座，
這燈火便是琉璃燈閃灼。

燈光反映到白河，
水神便牽住了他們的衣角，
因之變成了纖長的影，
一個個都成了冰柱倒垂着。
我們無須去尋覓陰濕岩洞，
只低頭看這黝黑的水國。

八，五。

當你們結婚時

——給振鐸和君箴——

當你們結婚時，
你們兩個安徒生的摯友呵，
請想一想這是怎樣的有趣，
你們將要有許多奇異的賓客！
陀螺，鈕釦，老鼠和蝴蝶，
這一些配偶平常在你們腦裏的，
現在也許要紛紛的從童話集裏
跳下來分享新夫婦的愉悅！

當你們結婚時，
你們兩個文學上的摯友呵，
請想一想這是怎樣的有趣，
彷彿你們是荷馬詩裏的膩友！

新郎是勇武的亞特賽，
穿着黃金般的甲冑；
新婦是美麗的潘羅布，
露出青葱般的纖手。

可惜啊，我沒有非麗霏般的羽翼，
不然今夜我眞要飛到月球裏，
立刻繞到你們那結婚的夜宮，
翩翩的飛下，也分一些你們的歡喜。

一〇，一〇。

藍 窗

半夜朦朧的醒來，

仰頭看見玻窗染遍了蔚藍，

嵌着幾顆亮晶晶的星星。

星星不住的閃爍，

我的心旌也不住的閃爍，

漸漸的浮動，緩緩的搖盪，

彷彿此身裹在輕羽般的天衣裏，

隨着星光飄出窗外了！

一一，九。

懷津門舊遊

千里外反覆舊時夢境，
朦朧從酣睡裏覺醒，
以為我仍是住在津門。

昨夜裏聞聽雁聲抑鬱，
深長而哀婉的叫着；
忽憶到我已移居暖國。

月影兒照在桑樹梢頭，
寒風一陣陣的颼颼，
偏遣我深深感到離愁。

一一，一三，長沙。

玻璃畫師

這般明淨的六方玻璃，
一方方的站在窗上看齊。
他們是一樣的大小，
辨不出誰兄誰弟。
映着窗旁的大樹，
好像他們畫了一張圖案似的，
我喜歡這異樣的畫片，
時常向這美術的製作凝睇。
一片片的葉兒堆疊，
綠幽幽，濃密密。
好一幅自然的圖案畫呀。
但是呀，我們的玻璃畫師如今變了，
他們又學起日本的畫風來了。
懶懶的只是不愛多著筆，

很簡單的畫了些瘦枝枯幹淡黃葉；

疏朗朗，明爽爽，

更多的透進嚴寒的天光。

彷彿說：如今的天氣冷了，

我們的畫筆凍了。

一二，五。

愛晚亭

愛晚亭呵，吾愛，
你在我面前迎來。
我輕輕踏着落紅楓葉，
脚步兒不覺踟躕了，
因爲呵，我恐怕踏碎了你的靈臺。

愛晚亭呵，吾愛，
誰在描你的姿態？
我徐徐走到畫師身邊，
後來我忽的又悔了，
因爲呵，我不該把融合之境擾壞。

愛晚亭呵，吾愛，
豈止我低首膜拜？

你聽聽，風聲颯颯讚頌，

溪水也汩汩歌唱呢，

因爲呵，你眞個給了我欣愉滿載。

一二，一六，長沙嶽麓山。

北門城頭望長沙城市

是怎樣一個華麗的大跳舞場，
淡藍色的布篷佈成圓屋頂形。
幾千萬人頭擁擠的在篷下跳舞，
長身的煙囪最是舞得歡欣。
那些屋們也一個個昂頭蹺脚，
使我這不速之客看得眼欲眩暈。
只見一些紅的，綠的，黃的，白的，
華彩紛披的帽子和那飄飄的衣裙！

一二，一六。

闇室看山海關石鏡

是富士山的峯尖，

是繚繞的白雲，

是暗射的地圖，

是童話裏的寶鏡。

雲兒動了，山兒移了，

地圖和寶鏡的幻影溶了，

我的心兒遊走在寂靜裏了。

一二，二五，長沙朱家花園。

老園丁

呵，那是怎樣一個可愛的老園丁，
當我們看着這悽涼的園景，
正感着滿目蕭條，無限傷心的時候，
他忽然同我們談得很起勁。

他指着蘭室裏對聯上的字跡，
居然能一個個的認得淸白。
他說他現在已六十多歲，
他在這裏也經過廿度歲月。

每天他要挑水，還要灌漑花木。
他又嘆息他的老爺都已死了，
現在只有一個很小，很小的少爺，
用他枯而且瘦的手比着他的高。

我們屏息着氣靜靜的聽他說，
忽然有一種盛衰之哀感刺入；
但一看見他那老而乾笑的臉，
又覺得已感到五月的快樂。

他指着窗上的玻璃告訴我們，
說是從黃的看窗外便是晨熹，
從紅的看去便是一抹晚霞，
我驚奇了，他也有藝術的靈心。

但願他常置在幻想的夢裏！
但願他莫再失甜蜜的回憶！
但願他永遠快樂如一日！
呵，他眞是一個可愛的老園丁！

一二，二五，長沙朱家花園。

中山晚歌

大神般恩（Pan）死去了，
拋下笛兒永去了！
可憐我們羊羣喲，
荆棘迷了路徑喲！
你聽林芙（Nymph）哭泣了，
從此深林靜寂了？
你那嫋嫋餘音喲，
爲你小羊導引喲！

一九二四

牛頭洲之黃昏

偏生要這般散漫：
來到江邊，坐下小船，
渡過湘江對岸，
我們三個在這一帶長堤，
要尋個徧，尋那仙山。

仙山？仙山？仙山在此間。
綠草嬌聲兒呼喚，
呼喚我們睡眠。
精神非常疲倦，
躺下來仰看那淡藍的天。

藍天，藍天，藍到嶽麓邊，
顏色漸漸的變淡，

引誘我們睡眠。
偏不睡眠，偏，偏偏要看。
遠遠，夕陽罩着的嶽麓山，
飛鳥往還，盤旋，
在那黑簇簇的樹叢間。

樹間，樹間，一顆樹在我眼前。
他就在那澄黃的湘江畔，
盛粧着玉立仙山邊。
這般晚，綠色依然鮮明照眼，
抽芽的氣息新鮮。

新鮮，新鮮，我們三個已失去遮攔。
灰黃的陽光將牠的魔力佈遍，
我不由得不倦，渾身癱軟；
蠱惑的鳥語將他們的歌聲佈散，

我不由得不倦，渾身癱軟，

倦，倦，倦，惺忪倦眼，

此身已覺飄飄然，

隨着脚底的湘江浮泛，

一任他飄到洞庭，飄過長江，

飄過太平洋，飄到九天，

飄他個幾百幾千年，

將那天上人間的好景飽看一個遍。

一九二五，三，二七，與星鏑惠謨偕遊。

荷 花

在那夕陽殘照的石欄旁，
祖母和孫兒在那裏凝望。
前面是一片綠色的荷田，
一朵朵白蓮在那裏顫盪。

不常出門的年老的祖母，
今天忽然看見蓮花滿湖。
她聲聲地不住怪那園丁，
不能讓她摘下一簇兩簇。

孫兒指點着湖裏的荷花，
攙扶着祖母絮絮的低語：
"祖母看呀，這一朵還未開，
那一朵已經張開了白羽。"

乳白的荷花似染了胭脂，
粉紅的荷花反照得更紅。
含苞的使他們低頭凝思，
滿開的擴大了他們心胸。

這荷花曾飄住 Ulysses，
使他的兵士忘懷了家鄉，
他們也飄然的出了俗塵，
隨着那輕微的和風前往。

這荷花曾激動高士敦頤，
引導他闡發了許多哲理。
他們也驚異着牠的偉大，
深深的感謝創造的天宇，

這荷花永載着釋迦牟尼，

表示牠高尚潔白的靈心。
他們也彷彿沐浴了蓮露，
靜寂的感到五內的澄清。

我只會低吟自己的歌辭，
更那知祖孫的心情如許？
朋友呵，祖母是我的祖母，
那孫兒非別，就是我自己。

一九二五，八，一七，南京秀山公園。

寄暢園

寄暢園呵！呵，寄暢園！
你眞是美麗的詩篇；
雖只是輕淡的幾句，
這裏面意味却無邊：——

茅亭破舊吻碧湖水，
泉弦寒依舊流潺潺，
禿樹枝愈老愈壯健，
假山石嵌空別有天。

單只這一片湖水呵，
倒映着遠遠惠山嶺——
山僧小住的北茅蓬，
乾隆題字的第二泉。

單只這幾株枯樹呵，
襯托着遙遙錫山尖——
高鐙寺外的龍光塔，
低徊曲折的小溪澗，

這裏面的景象萬千，
雖只是小小的亭軒，
寄暢園呵！呵，寄暢園。
深鎖了兩山的雲煙。

一九二六，一，七，遊無錫後追記，

女絲工曲

星稀稀，風淒淒，
玉盤的月光灑着伊，
伊搓了搓杏眼，
以爲是太陽光熙熙。
伊心想，這是上工時候了，
急忙忙便把寒衣披。
到絲廠，鐵門深鎖，
沒個人，方知受了月光欺。
待回去，夜半戶誰啓？
不歸去，野風寒侵肌。
這時節，靜悄悄沒有行人過，
冷清清迷離荒草低。
風颼颼直吹到心裏，
樹疏疏月影斜掛末橫西。

伊冷呀，冷呀凍得瑟瑟的，

忽看見地上有個石磨機，

伊搖呀，搖呀徧身冒熱氣，

你看，伊豈非，著皮衣？

直搖到月落，雞啼，鐵門微啓，迎着

　晨曦，

伊這纔微笑的嘆聲：“噫…………”

一九二六，二，二〇，上海。

妹　　妹

一

我提着水壺汲水回來了，
款款的扣着門喊道：
"妹妹，妹妹！"
她輕脆的應了。
——這不是美麗的格林童話裏，
鹿哥哥的故事麼？

二

龍山是這般的靜寂呀，
只有幾個不識不知的孩子在那裏挖
　着野菜。
他們驚疑的望着我倆，
待得妹妹問他們路徑的時候，

他們却羞慚的逃避了——
逃避了，我們的唇合併了，在那吹風
　的山頂。

三

放翁快閣的花徑，
幾朵小紅花引起妹妹的歡喜。
她偷偷的，輕輕的將花摘下來，
用絲帕兒珍重地包着。
倩眼微梭了梭，胸兒微撫了撫，
"還好，園裏的媽媽沒有覺着呢。"

一九二六，三，二五，紹興。

這是夢麼

這是夢麼？我倦了歸來，
她向我蓮花似的微微一笑。
這從來做"小物件"的孩子，
也有夢幻的今朝，誰能料到？

這是夢麼？漂泊的小鳥，
在那嬌小女郎溫柔的懷抱。
這從來孤獨無依的生命，
也有夢幻的今朝，誰能料到？

一九二六，四，三。

一個好喫的人登龍山

一個好喫的人登龍山，
喜得他手舞足蹈，勁頭兒眞不小。
他指點着山脚密接的屋宇，
說是遍身金鱗的魚兒跳；
他指點着金黃的稻田桑畦，
說是一方方的布丁，雞蛋糕。
他說寶塔是糖做的，
他說樹枝是油炸條。
他還笑眯眯的看着渺遠的湖水，
當他是一杯杯芳香的酒醪，
魂靈兒幾乎醉倒，跌下山腰。
他恨不得將四圍的山兒抱，
學一個樊噲拔劍割，
將彘肩喫他一個飽。　　四，二一。

詩人遺像

瞥見了柔美的長髮披肩，
瞥見了絕望的眉眼向天。
這是否 Wilde 那美麗的公子，
不啊，這是消滅了的詩人的容顏，
你曾負着頑皮的 Cupid 的創傷，
從此便遊戲，蕭散——在那人間，
你想遍嘗人間的一切異味，
那怕這味兒是毒辣還是辛酸，

在那 Artificial 梅樹林下，
花映着乳白的酒鍾如散，
你淡潟一般溫和的眼珠呀，
凝睇着那侍女頻頻傳盞。
林中有隻黃蝴蝶在輕飛罷？

是那侍女鵝黃的衣衫照眼。
咖啡店，只合浪漫文人居住，
難道你也在巴黎生活裏沈湎。

你也曾飄浮到虎邱塔前，
鄧尉的梅花正開得鮮妍。
想來你記起了東坡的流風遺韻，
遍搜索——得來詩妓陪你遊船。
衣香繽影香透了香雪海，
迷離間梅花伴着高士林逋眠。
我終憐——終憐你是Don Quixete，
不迷着遊俠傳，也戀着樊素，小蠻，

那時節恰是正二月的艷陽天，
一眨眼又是遍地的芳草芊芊。
孤山的梅樹遍着了綠葉，

尋那梅花哟，也許栽在你的心头。

踟躕的延佇，沈默的思念，

明春還意你來山中迴旋，

誰知秋來丹楓的落葉飄墮，

那梅魂呀，——早隨你葬在墓邊。

一九二六，九，六，深夜。

放翁的老年

往事不堪重談，一度思量，一度心
　酸。
唉，意亂心煩，淚灑欄杆。
且推開窗兒，把鏡湖仔細看。
枯楊雖也生稊，
但我這口古井呀，已禁不住再起波
　瀾！
呵呵！如今我老了老了！
不信你看，目光眊了；容顏消了，
這兩鬢的白髮呀，如銀絲般的掉了！
　和歌　罷喲！罷喲！莫要開窗喲！
　　　　你開開窗兒，將更憂煩。
　　　　遠樹裏有你愛妻的倩影，
　　　　她蒙了輕紗，正撥弄着琴

婦的哀弦。

這數十年來的創痛呀，

將永遠留存着一個瘡痕。

轉身北看，城郭的影兒朦朧，

淡煙薄霧裏，認取沈園的芳蹤。

當年失去的小綿羊是在這園裏覓

得，

離愁的可人兒是在這園裏重逢。

但她已不是我家瓶中的花朵，

這朵鮮花已插在別人的心胸。

舊夢兒重溫，往事呀重重，

一腔兒話，欲訴也無從。

她那眉尖兒深鎖着一縷縷的幽恨，

似怨我為甚要撇她如撇轉蓬。

„我愛着你，但我也可憐我的阿母，

她貌龍鍾，她心惛憒，有話我總依

從……"

呵呵！如今我且愛惜我的年老罷！
一些兒愁絲也莫要牽繫縈繞罷！
拋開些罷，舊日算不清的情賬一筆
勾掉罷！

和歌 罷喲！罷喲！莫要說了喲！
你的心早已如落英繽紛。
你假意兒抑止你的幽恨，
那幽恨，牠又似野草蔓生。
這數十年來的創痛呀，
怎能在一朝抹去瘢痕？

倚着筇杖，漫步走下快閣，
小兒牽襟，他那知阿爺的悲哀。
欲想背着城郭向南行去，
那不爭氣的頸頸偏要回過頭來。
呵呵，"曾見驚鴻照影，"

"沈園無復舊池台!"

誰知那日是最後一次的相會,

從此便魚沈雁渺,音信俱乖。

唉唉,何必這樣的離思縈懷喲!

且將這兒女的痴情葬埋喲!

且醉吟着歌曲,閒倚着綠槐喲!

和歌　罷喲!罷喲!莫要掩飾喲!

你如今已是愁腸千轉百
折。

與其悒鬱着,受那慢性的
麻醉,

還不如披髮狂吟,胸袒足
赤。

你且到那香爐峯頂,迎着
天風,

將你那一腔哀怨,盡情宣

視。

一九二六，九，一〇，於[illegible]故里。

花　　仙

一

從前海豐有個美麗姑娘，
獨自在那小花園裏徬徨。
她光潔的頭髮分梳兩邊，
彷彿鴉兒展着一雙翅膀。
三個小小銅圈，將髮繫住，
頂上一朵蓮花，恰在中央。
戴了一頂扁圓的大涼帽，
帽圍的青布絡隨風飄揚。
不塗脂，不抹粉，天然秀色，
霧中見花，隱約顯出面龐。
超然脫出塵俗，青衣蓋膝，
赤着兩脚，穿了木屐一雙。
她天生一副愛花的癖性，

就是低等植物也願扶將。

她愛朱錦花的溫柔可愛，

也愛蛇抱刺的沈毅剛強。

纖纖素手戲觸着含羞草，

短短小枝輕擘着結椹桑。

龍涎草，仙人指，長得怪特，

她也低徊不去，仔細端詳。

她看陽光弄着火紅花樹，

她看木棉和那鐵樹倚傍。

愈是那微弱渺小的花草，

愈引起她愛護，熱血一腔。

二

她的身世眞是萬種淒涼，

每一想起她就黯然神傷。

五歲做了人家童養媳婦，

七歲死父，八歲死了萱堂。
十五完婚，方幸天長地久，
隔了兩載，她又成了孤孀。
婆婆說她命狠，尅父尅母，
如今又尅死了她的兒郎。
罰她在花園裏終日採花，
午後將花賣給街上市場。
還要散布花種，擔水灌溉，
還要修剪齊整，排列成行。
今朝她工作得滿身疲倦，
倒臥在花叢，夢境裏徜徉。
花仙們恐她趕不上市集，
又要受她婆婆一頓重創。
英雄花木棉急飛着棉絮，
傳消息，要羣花替她幫忙。
朱槿從枝梢隨着風飄落，

繽紛亂墮"睡美人"的衣裳，
木仔蘭很快的聚成一堆，
金線弔芙容散在她兩廂，
待她好夢初回，慢睜杏眼，
看見花已採好，馥郁芬芳。
她驚奇了。感激花仙好意，
低首膜拜，深謝祂們相幫，

三

婆婆看她熟睡，心毒如狼，
"老娘給她一點滋味嘗嘗，"
她氣勃哥哥的跑到園裏，
將她惡罵，欺她無爹無娘，
婆婆說她花兒採得嘸好，
她要採給她看，拿起花籃。
婆婆採朱錦，忽變蛇抱搦，

她的兩手血出，著了驚慌；
婆婆採芙容，忽變仙人指，
錐了她的手心，彷彿刀槍，
花仙從花蕊裏探出頭來，
竊竊的偷笑，歡喜得發狂。
姑娘扶着婆婆進房將養，
回頭挑擔上街，十里花香；
她那清脆細婉的賣花聲，
波動着，回響着滿山滿塘。

一九二七，四，二六，廣東海豐。

Mars 的恩惠

從來不曾這般的生活狼狽，
囊中不名　錢，又何須自詡？
呵呵，我那新生的孩子長生，
我遠在異域，不能和你相對，
連買糖果給你的錢都沒有，
也做你的爸爸，心裏真慚愧！
　感謝 Mars 的恩惠！

空闊的校舍裏一切都熟寐，
但清晰的聽得落葉兒飄墜，
呵呵，我那親愛的甜蜜之心，
你到我家，只贏得一身憔悴，
我要想插翅飛到你的身邊，
忠心的替你分勞，將你安慰，

感謝 Mars 的恩惠！

我極想對着船主低首下跪，
求他載我回家，與家人相會。
我願意做他一個小小火夫，
只求他能夠免去我的船費。
但我怕看船主嚴厲的面孔，
但我怕受熱氣煤味的活罪。
感謝 Mars 的恩惠！

我又想對着店東潸潸落淚，
求他讓我在他茶館裏睡睡。
我願意做他一個小小僮僕，
拿着茶壺和手巾，招呼座位。
但我怕依舊不能籌足斧斤，
但我怕難於忍受起居汚穢。

感謝 Mars 的恩惠！

悵望着東海之濱，我心欲碎。
終日的茫茫渺渺，好不乏味！
旣沒有親朋故舊，供應緩急，
也許會做那沿門乞討之輩。
爲了一日米，跑到古塚荒山，
什麼生活！簡直是充軍發配！
感謝 Mars 的恩惠！

一九二七，五，二二，海豐。

1928, 4, 1 付排
1928, 6, 15 初版
1——1500册

荷　花

每册實價三角

花木蘭文化事業有限公司聲明啓事

此次《民國文學珍稀文獻集成》出版，有賴各位作者家屬大力支持，慨然允贈版權，遂使這巨大的文化工程得以開展。本公司全體同仁在此向各位致以誠摯的謝意！

由於民國作者人數眾多，年代久遠且戰火頻繁，本公司傾全力尋找，遍訪各地，能夠找到的後人，得其親筆授權者，爲數甚寡。更多的情況是，因作者本人下落不明，連版權情況都無從知曉。

因此，本公司鄭重聲明：

此叢書所錄專著，凡有在版權期內而未授權者，作者家屬可與本公司聯繫，本公司願奉送相關贈書 50 冊爲報酬，補簽授權協議。

望家屬看到此通知後與本公司聯繫。聯繫信箱：hml@vip.163.com

花木蘭文化事業有限公司

兩種力

毛翰哥 著

毛翰哥（1906～1930），原名毛聖翰，浙江奉化人。

泰東圖書局（上海）一九二八年六月出版。原書三十二開。

两種力
韓哥著

兩種力

毛翰哥著

序

文藝是生命力的表現。在某一種環境下，生命力受了壓迫，得不到正當的發洩，於是所謂可泣可哭的文藝產生。戀愛文學也從此點產生，革命文學也從此點產生。

含戈是個比較我年輕而不曾深入社會的青年，他的感情盤旋於兩種力之間，而這兩種力，都使他感到苦痛，感到壓迫，於是有他的這一集子的作品的產生。

所以站在純文藝觀點上，這一集裏的作品都可說是眞性情的表現。

而且，含戈又有他的表現眞性情文藝的特長的地方，就是文字的清麗。文字不能如意運用，這是如何一樁傷心的事。僅事雕琢，總是失敗多而成功少的。所以好的文藝，總是能到

意到的。含戈在這一著，可說是會成功的。

『我們都是青年，我們總期望着明日。』

我以這二句，爲含戈這集作品公世時的祝詞。

任叔——十七，十一，七。

兩種力目錄

兩種力 目錄 二

第三輯

兩種力目錄

四

第一輯

憶美少女

豐腴微笑的兩頰，
何日得能再見呢；
烏黑神祕的雙睛，
何日得能再見呢？

雖然，我此身不能享受你的戀愛，
也不曉得你愛我不愛我；
——就是愛我也沒用，——
但你的倩影總在我的心中相印，

兩種力　二

你的清麗的餘音總在我的耳邊溫存！

啊！想你靜立在桂花樹下，
誰能辨得出你是花兒，
花兒是你呢？
誰能理會理出你和花兒心心相印呢？
想你站在同伴中間，
好像雪白的鴿子站在木黑的烏鴉隊裏，
越顯得你的俊俏，
你的豔麗！

玫瑰開在你的臉上，
小物件中的雙黑睛；
我的乾枯的苦心，
我的沸騰的熱血；
我第一次瞧着你時，
已生着兩隻翅翼，
飛出我枯萎的軀殼，
跌倒在你的足下了！

我要用我的熱血，
凝成一朵血紅的玫瑰，
讚美少女

兩種力　四

插在你的頭上，
使你知道我是怎樣的愛着你呵！
我要用我的淚珠，
釀成一瓶甜蜜的葡萄，
盛進你的心中，
使你知道我是怎樣的想念着你呵！

但是——
哦！美少女！
這是永遠的幻想，
永遠的幻想——

每當夜靜月明的時候，
悽風苦雨的當中，
使我憶着你美麗的丰姿，
惆悵——悲泣！

時間促弄了我們，
一忽兒秋已將盡了；
但你的倩影溫溫柔柔的，
在我的心中，
使我不覺得我是隻身；
彷彿一只活潑的小鳥在我的心中

兩種力　六

棲止着，飛翔着，
一忽兒叫，一忽兒歌唱。

哦！美少女！我憶着你，我儘在憶着你的倩形；
但是我將永遠不能看見你的美麗的丰姿了！
昏沉地在我夢中隱現着，
只賺得醒後的悲哀吧了！
豐腴微笑的兩頰，
何日得能再見呢；
烏黑神祕的雙睛，
何日得能再見呢？

十三，十一，五，于甯波。

落葉

由窗外吹入了幾片落葉，
我知道秋已到了！
我吻牠，我痛哭牠，
爲了我自己的命運！

十三年十月作

給——

我願祕密地愛着你：
溫柔的微風輕輕的吹過我的身邊，
我就停止我絮絮的情語，
不願讓她吹送給你；
我願祕密地愛着你。

我願祕密地愛着你：
清涼的淡月偷上我的睡床，

我就收住我奔放的戀情，
不願讓她映照給你；
我願祕密地愛着你。

我願祕密地愛着你：
雖然你不常和我說話，
但你灼灼的眼光，甜蜜的微笑，
已告訴我這是你的誓詞和情誓了；
我願祕密地愛着你。

我願祕密地愛着你：

兩種力

你的眼光照澈了我的魂靈，
你的微笑滲透了我的酸心；
但天上明星般的你，你已把醜陋的我怔住了；
我願祕密地愛着你。

我願祕密地愛着你：
雖然我滿想斟滿愛之紅酒獻給你，
求你用愛情的紅唇來傾飲她；
但我是受過重創的小鳥，你是未經雨打風吹的潔美的玫瑰；
我願祕密地愛着你。

一〇

我願祕密地愛着你；
希望的淚珠洒濕了我的衫袖，
過分的悲傷瘦削了我的殘體，
但我啊——我仍不望你用慈愛來憐憫我這顆癡心；
我願祕密地愛着你。

十五年六月二日于甯波

相思歌

夜是這般的寂靜，
叫着夜鶯聲聲；
月是這般的光明，
照得萬物如銀；
我的相思的人兒啊！
爲什麼偏是這般的猶豫着不來？

我的心是這般的跳動，

叩着愛門丁冬，
我的眼是這般的炯炯，
燃着戀火熊熊；
我的相思着的人兒呵！
爲什麼偏是這般的遲疑着不來？

時光如馬般的疾駛，
你的青春也將跟着消逝；
你看，秋風下的梧樹——
這梧樹呵，不是春時穿着碧綠衣衫的梧樹？
我的相思的人兒呵！

兩種力

爲什麽偏是這般的佇立着不來？

你不懂得戀之神祕嗎？
你不看見愛之火光嗎？
天上燗爍着的小星，
要爲你搖搖而墜哩！
我的相思的人兒呵！
爲什麽偏是這般的張望着不來？

十五年八月六日在上海作。

一四

秋吟

郊外的秋色，
染黃了遊子的聲了。

蟋蟀的鳴聲，
是同情哀傷者的悲歌嗎？

想起了你

秋風吹散我輕盈的美夢，
冰霜凝成我深濃的悲惘；
你……你——我想起了你，
『我只合獨葬荒丘！』

鮮豔的花朵凋落了，
熊熊的火焰消滅了；

你……你——我想起了你，
『我只合獨葬荒丘！』
嗚泣着現在荒冢黑暗的夜深，
將永沒有一點星火照我寂寞的路程；
你……你——我想起了你，
『我只合獨葬荒丘！』

一五，一二，一八，上海。

我們的詩人

歸來，
歸來呀！
我們的詩人，我們的詩人！

從恍惚夢寐中歸來，
從斜陽荒塚裏歸來！
我們的詩人，我們的詩人：

張着眼看呵，
靜着心聽呵！
我們的詩人，我們的詩人！

鐵蹄底下的祖國，
疲頓成性的人民！
我們的詩人，我們的詩人！

無恥的文人充塞了藝術之宮，
賣國的小子遍地橫行！
我們的詩人，我們的詩人！

兩種力　二〇

歌詠呵，
吶喊呵！
我們的詩人，我們的詩人！

歌詠祖國昔日的光榮，
已久埋沒的繁華和燦爛呵！
我們的詩人，我們的詩人！

謳詠古英雄已往的勇武，
偉大的奇績呵！

我們的詩人，我們的詩人！

喚醒那頹唐的青年，
從枯燥的嘆聲中出來！
我們的詩人，我們的詩人！

喊回那青年已失的心，
從甜蜜的戀愛鄉裏！
我們的詩人，我們的詩人！

歌詠出祖國靈魂的眞理，

兩種力

來抓住疲頓成性的人民的心弦呵！
我們的詩人，我們的詩人！

於是用你的歌聲，
來預祝我們的勝利！
我們的詩人，我們的詩人！

然後更用你歌聲，
來歡唱祖國國土葱蘢！
我們的詩人，我們的詩人！

歸來,
歸來呵!
我們的詩人,我們的詩人!

從恍惚夢寐中歸來,
從夕陽荒塚裏歸來!
我們的詩人,我們的詩人!

十四年十月二日

秋風下的哀歌

（一）

冷峭的秋風已來人間，
頻敲着葬鐘叮噹——
叮噹！我待愈的心傷，
又起哀濤激盪！

原說是破碎的心房，
沒有重圓的希望；

但再難追尋的美夢.
怎能將她遺忘!
此刻,我愛!
秋風只是吹着落葉,
在窗外颯颯的作響;
我輕彈着已往的戀歌,
追編着消逝的情史,
但醒來,我愛!
仍發見了一個孤單單的我——
在對着牆壁悽悵!

兩種力

哦！我決不忘掉你的白皙的臉子——
你的臉是那麼嬌好秀媚；
好像月兒在陰森的林中，
竊人般的靜美。

我決不能忘掉你的瑩瑩的眼睛，——
你的眼睛是那麼優淨清新，
好像星兒在黑暗的天宇當中
閃耀般的明澄。

我決不能忘掉你的兩頰的紅暈——

你的紅暈是那麼美麗動人；
好像落日反照出來的
鮮血般的霞痕。

（二）

哦！你的微笑！
使人銷魂的微笑；
你的黑髮——
使人心飄的黑髮；
哦！你的身材——
你的豐潤窈窕的身材；

你……你……

嬌豔的你；

天仙的你；

我奉之如生命般的你；

怎到如今只單單留存下給我

一幅悽慘蒼白的顏面？

我曾用我粗魯的雙臂擁抱過你，

在清涼的夏夜繁星閃爍着的時候；

我曾用我顫抖的嘴唇狂吻過你，

在新鮮的春晨花枝滴着朝露的時候；

我也曾用我雙手撫摩着你的嫩柔的前額，
在你覺得痛苦用頭枕着我胸懷的時候；
我也曾用我的右手牽着你的左手
如小鳥般的飛跑，
在大地蒙着晶瑩的白雪的時候；
這些……這些，我愛！
到現在我還是
像一隻被嚴冬所侵逼的倦餓的小鳥，
深深的吻着春時甜蜜的美夢；
一朵被暴雨打落的枯死的玫瑰，
急切的盼着復生期的到來。

（三）

我愛！你說我有許多事對不住你，
又沒有偉大的聲譽；
但我對不住你的地方究在那裏？
沒有偉大的聲譽？
你又爲何從前深切地愛着我？
我是沒有偉大聲譽的，
我是常常粗莽從事的，
但是我愛這些，——這些
是不是應該要用你的玉手，

緊握着亮刃,
來刺破我的靈魂?

你丟棄了我戀着別人,罷了;
還發生曖昧的情事,也罷了;
而今,爲什麼又丟棄了你那個戀人。
聽從了父母之言,
嫁給一個漠不相識的人兒?
哦!我是始終受着騙了!
我要罵你一聲:
「你這淫婦!」

但我仍咽住我的眼淚，
要親熱地叫你一聲：
「我愛！」

我相信上帝不會虛給我的愛，
我也相信你——
我愛，終有一日你會澈悟到
我眞切的情愛；
但等你悟到了那一日，
我早已是如落葉般的埋在地下了！
只是在人世的一日呵，

我們是再也不能會見！

我愛！人們說世上有幸福，
我的幸福在那兒？
人們說世上有青春，
我的青春在那兒？
去吧！已往的快樂的美夢！
去吧！未來的空幻的悲惘！
去了！如流星掠過寒空般的去了！
去了！如夜幕吞沒夕陽般的去了！

一一，一〇，在立達學園。

「哦，這原來就是你！」

翰哥

庭前錯落的擺着幾盆菊花，
紅的黃的白的——
我想起她昨天嬌豔的在夕陽中搖曳，
怎一夜的秋風一陣的嚴霜便會把她打得枯萎零謝。

她未散的香氣，
好似愛人雖去而愛情仍綿綿不散的
陣陣的只往我心窩挑動；

突然我的心便如微風吹皺池水般的盪漾了，
我凝視着，熱淚湧上了我的眼眶，
「哦！這原來就是你！」

等候

來吧！失意的女子！
我的疲乏的心兒，
是陰森的深林處的鳥巢，
你且振翅前來安睡片刻吧；
這裏你將聽到夜鶯的美妙底歌兒，
風過時簫簫的清脆的樹葉底嘆聲。
黃昏時，我們拋棄了記憶的傷痕，
漫吟着愉快的歌曲，

跳舞在茸茸的草上；
皎皎的月兒在樹隙間瞧着我們時
我們便可向她訴說流淚，
創造未來的幸福。
來吧，我伸着手向你
袒着胸懷等候你
失意的女子！來吧！

一六，九，二八，上海。

你囘頭吧，我是追縱着你！

你囘頭吧，我是追縱着你！
暗澹的秋色在田野裏沙沙作響，
我的心呵，是這般的悽切悲涼！
倘使你能給我愛酒之微滴，
我的面龐呵，將由蒼白而紅潤！
你囘頭吧，我是追縱着你！
蒼茫的暮色在天際漸漸搖蕩時，

我的心呵是這般的空虛陰沉！
倘使你能給我明澈的一笑，
我的青春呵，將由深林裏歸來！

一六，一〇，一二，上海。

落葉哀詩

悽涼的秋色，
穿過了樹林，
跑過了田野，
傷了我的心了。

颬颬的落葉，
落了還起，
起了還落，

顫抖的嗚咽的哭訴；
我想起了昔日，
欷歔——哭泣。

隨落葉飄去吧，
這裏——
那裏；
任雨打霜侵吧，
埋沒——
腐爛。

一六，一〇，二五。

來吧，我的愛

來吧!
我的愛!
這是個良好的時機了，
不要猶豫，
不要遲疑;
勇敢些，
果決些;
來吧!

我的愛!
若誤了這個時機,
我們就得永世墜在——
墜在悲哀的深淵,
嘗着回想的苦味,
痛哭——流淚!
來吧!
我的愛!

來吧!
我的愛!

用我們的接吻——
深深的接吻，
把我們悲苦的哀傷的碎破的靈魂
從草堆中舉起來吧！
用我們的擁抱——
緊緊的擁抱，
把我們過去的殘留的悲哀的深影
從歡欣中拭去了吧！
來吧！
我的愛！
我的臉冷瘦又蒼白，

我的心又是這般地
很快的跳動；
來吧！
我的愛！
我的心終久要貼住你的心呵！
來吧！
我的愛！
我們要跳出這地獄的人間，
我們須向前跑——
跑跑，

兩種力　　圖六

跑到我們生疏的地方，
去創造我們理想的天國；
這樣你或許會說一聲：
險，難——
那末我的愛，
看吧，
刀，
海，
藥，
……
……

都陳列在我們面前，
你要那一樣就那一樣；
我的愛！
我們終久是要死在一處呵！

來吧！
我的愛！
這是個良好的時機了，
不要猶豫，
不要遲疑；
勇敢些，

果決些；
你看——
天際一顆光明的小星，
不是引導我們的明燈嗎？
雖然夜是這般的可怕——陰森，
我們的心是在熊熊的燃燒着呵！
來吧！
我的愛！
不要放過了這個良好的時機；
你要知道，
放過了這個時機，

我們就得永世墜在——
墜在悲哀的深淵，
嘗着回想的苦味，
痛哭——流淚！
來吧！
我的愛！

一六，一一，一〇。

春來了

春來了，
我的心呵！
你爲什麼老是走着深秋之路，
做着殘冬之夢！

一六，二，三。

靜穆

我把香煙頭拋在痰盂中
嗤的一聲。
丁……鈴……丁………
在深夜中車夫拉着空車的聲音。
在深山中蕩漾着寺鐘的聲音呵!

流浪者的墳墓

日擲着煩惱之網，
夜飲着涕淚之酒，
我尋着了我的墳墓——
我的墳墓啊，在荒野之傍。

在那裏——
沒有金黃的陽光在我墓傍灑照；
在那裏——

沒有密密叢叢開着鮮妍的繁花爭盛；

陰森森的悲淒淒的

如海上的荒島，人間的地獄；

聲聲的唱着杜鵑的哀歌，

和着白楊蕭蕭的悲哭。

我知道這裏是我流浪者最好的土墳，

我也知道這裏是再也沒有人來我墓前探視；

我便拋去一切殘憶魂靈，

無憂地快樂地睡倒；

并且我在墓碑上題了幾行小字：
「我悄然的來此人間，
我應悄然的去此人間；
這荒野啊，立着一個流浪者孤獨的邱邶！」

一六，一一，一〇。

第二輯

她是依舊在我的身邊

我知道我的不幸的命運已展開在我的面前了，并且牠在露着猙獰笑迎我；我也知道那個時候將到了，到了那個時候，她將永遠的離開了我，我也將永遠的不能再見她的美麗嬌豔的容貌；同時我也將再不看見這污濁的世界，我的生命也將如落日般的幽沉下去——永不再昇，直至最後的墓台蓋上了我的軀殼！

但——但這是未來呵！我管他什麼呢！在我生之一日，我總要用我的全心力來愛她，我總要取出我整顆的兒來愛她呵！

她給我的甜蜜如春風吹到枯乾的草木上，我接近她如小魚棲息於河水中；我們的愛情如春水般的在清麗的小溪中恣情的奔盪着潺湲的輕流着；在她的可愛的微笑中，我看

見溫和的上帝，在我們熱烈的擁抱接吻中，我覺着生命的意義；雖然那個時候將到了，但——但這是未來呵！此刻呵——此刻她是依舊在我的身邊吻着擁抱着…………

一五，二，四。

海鷗

翰哥

一個憔悴的孩子，每天躑躅在海濱，悵望着南方，哀傷——哭泣！

偉大雄壯的海波，一些也不能打動他胸懷激盪；奇麗變幻的落日，一些也不能引起他欣賞與愛戀；他只是悵望着南方，哀傷——哭泣！

「憔悴的孩子，你有什麼悲戚，使你面龐消瘦得如紙黃；你有什麼哀痛，使你終日哭泣得似鮫人；可憐的孩子！」

一隻雪白的海鷗飛到他的身旁憐憫地問他。

「海鷗呵！我怎能不哀傷而哭泣！在南方——在南方我有一個至愛的人兒在那邊，她丟棄了我，如同丟棄了一根草芥！我曾寫了許多悲傷的信給她，告訴她我想念她快要悲悶

死了；但——石投大海般的，一去永無回音！煩惱籠罩了我的全身痛苦吞沒了我的靜心；海鷗呵！想起快樂的往日，回顧此刻的孤零，我怎能不哀傷而哭泣！

『我至愛的人兒呵！海波洶洶的擊打着岩石。這岩石呵！我將與之消蝕了，沒有一個人爲我哭泣，沒有一個人爲我悲悼！』

『可憐的孩子！你的遭遇是這般的悲慘，使我知了也爲你歎息；你的話是這般的沉痛，使我聽了也爲你下淚！我在陸上雖不曾有過長時間的飛翔，但可憐的孩子，我願爲你飛到南方，探個下落。』

『海鷗呵！我感謝你，深切的感謝你！這樣你就飛去吧，快快的飛去吧，到我的至愛的人兒那邊。我的至愛的人兒住在極南方的一個小村落；小村落南面一間華大的房子，便是她和她現在的戀人住的地方。

『你飛到她的身旁，倘使她是一個人在那邊，還在想念我，那末你就告訴她我是快要

悲傷死了。倘使她同她的戀人在親密地情話，那末海鷗——親愛的海鷗呵，你就飛回來吧，毫不停留地飛回來吧；因爲她的戀人是要把你射死的。雖然竟是這樣——得不了她一句半句的話語。會使我格外悲痛，但近死的我，死神遲早總會有降臨我身邊的一日，還苟延殘息的作什麽？海鷗呵，你飛去吧！快快的飛去，快快的飛回吧！」

海鷗拍了幾拍她和白扇般的翅膀便很迅速的向着南方飛去了。

但海鷗是永不飛回來了！……

只是這一個憔悴的孩子，每天仍躑躅在海濱，悵望着南方，哀傷——哭泣！……

一二，六，在LT。

兩種力

心的重葬

昨夜我聽見了幾聲蟋蟀的悽音：

「唔！秋到了吧？」

今天乘太陽還未東昇露珠仍掛在草上徘徊的時候，我便步到田野去探聽秋究竟到了沒有？只見得滿田野平鋪着暗黃色的落葉已隨着颼颼的秋風飄蕩着了：

「唉！一年一度的清秋，畢竟又到了！」

我在這秋的細語底田野和草木都垂着頭帶了淚珠的情形當中踱着，不禁垂着頭傷感起來了。

于是我記起了——我記起了去秋黃葉第一片落時底月夜當中捧了自已滿受蒼夔的創傷的心兒，活埋在那邊一株白楊樹底下荒塚邊的心兒——活埋在一株白楊樹底下荒塚邊的心兒，任她聽着白楊的哀悼落葉的鳴咽，此後當可不再來跳躍人間，彷徨人間！

『死了吧？乾枯？』我便踏上荒草，滴滴的露珠濕透了我的雙足，尋到了我去秋埋葬着心兒的所在。

白楊很悲悽的唱着歌兒彷彿在歡迎我，——我嘴裏微微喊着我可憐的心兒，全身寒慄戰；『可憐的心兒呵！我去秋活埋了你，今秋我又忍心的來看你死後底殰跡了！

我蹲着，緩緩的用我顫抖的雙手爬開了潮溼的泥土。一層——一層，終于尋見了一個滿黏着泥土血淋淋的碎片片底心兒。我捧着我這個心兒，把泥土細細的揩了乾淨，她便在我手中猛烈地跳躍起來。

『唉！還溫暖的活着呢！』雙淚不由我如泉般的滾下來點點的摘在心上。

我細細的檢閱着我這顆心兒的創痕：這邊是愛的刀傷，那邊是愛的箭痕，這邊那邊——

——我的眼模糊起來了，彷彿天地在旋轉一般。

『可憐的心兒呵！你好苦呵！你滿披着這許多血淋淋的愛的傷痕，埋了一年，大概也受飽雨侵霜打的苦楚了吧？爲什麼到現在仍是這樣明顯，這樣活躍？難道還沒有受盡荊棘冷箭的射割？抑想跳進這昏沉的人間去找你底愛情？怎的一些也不枯乾？怎的不長棄這人間而天殤。』

我不忍我這顆碎裂的心兒再來一次——受箭傷刀痕；我更不堪我這創滿的心兒再來一次——追已往情史；爲了需要安靜，需要麻木，我得忍着淚珠仍來埋葬她，埋葬她……

我爬開了很深的泥土作成一個很大的洞——墳墓；白楊的樹枝作她的睡床，淡黃的落葉作她的帳幔；我很悲傷的吻了一吻我的創傷的心兒，然後輕輕的把她擺在白楊枝上，

蓋上了幾片落葉；我的淚又滾滾的落下來了。我最後望了她一眼，便把沉重的泥土推入洞裏，上面再鋪上些泥土作成小小的圓形的土堆……唉！從此以後我是再也不能看見你了！

我的可憐的心兒呵！

我哀傷，我悲痛，我哭倒在她的墓上了；

我可憐的心兒呵！

我創傷的心兒呵！

睡着吧，靜靜的睡着吧！

你擁抱着我交給你的

我的青春，我的熱情，

我的美麗的詩句，我的浪漫的故事睡着吧，

永遠的安靜的睡着吧！

莫再記念——我的心呵！
莫再記念着，——記念着過去底幻夢重重！
莫再跳躍——我的心呵！
莫再跳躍着，——跳躍着重來傍徨人間！
睡着吧，靜靜的睡着吧！
我創傷的心兒呵！
我可憐的心兒呵！

十六年，十月，九日，于上海。

致愛人

（一）

灰黯的秋色已是這般的使人悲涼，淅瀝的秋雨又滴滴的滴在浪子的心上，愛人啊！——我想起了你你在這滿月都是悽涼的秋意的山鄉當中，抱撫着你的可愛的小若蓮可平安否？

前幾日在慘淡的燈光下接讀了你的悲苦的信，我的淚珠兒，止是這般的僅僅的觸着一些憂傷便會很快的落下的淚珠兒——我眼看着你的向我訴泣般的字兒，心想着不可再得的美麗的往日時，我的淚珠兒便從心的極深的底處湧起，紛流在我瘦削的面龐上。

愛人啊！在飄流中的——舉步的儘是些憂傷悲悽，行處儘的是些荊棘猛獸的你的可

憐的弟弟，接着你人間最不幸的——被你丈夫辱罵欺侮消息時，爲着你，爲着我，更爲着我們的昔日將來，愛人啊！我怎能不向西風痛哭狂號？

我們這一對苦獄中的人兒呵！我們這一對苦獄中的人兒呵！

我不怨我們祖宗造下來的大錯，我也不恨懦弱膽小的你，我只怨恨我自己爲什麼去年這般的忍心的把你任人家如殺猪般的捉上了喜轎，而于事前事中一些也不起反抗奮鬥的勇氣來撈救。我們都知道的將來的悲痛哀傷？爲什麼只是這般的怨着萬惡的倫理上的姊弟觀念情弱的擁抱着哀泣痛哭？使得你如今受着這般的苦痛，自己長伴着愁苦的伴侶流浪。

我們這一對苦獄中的人兒呵！我們這一對苦獄中的人兒呵！

你的臉兒定是蒼白了吧？你的眼睛定是紅腫了吧？你的小若蓮也定是爲了你的愁慘的淚兒滴在她的臉上凝視着你哀哭了吧！你更爲了小若蓮的哭聲想着你在外流浪的可憐的弟弟了吧？……我想起了這些這些，愛人啊，我好像見了一個猙獰的魔鬼雙手高舉着向我眼前滿灑——滿灑着我的墳上的沙土；那裏我就漸漸的走近去了！

愛人啊！我們始終是愛着的，至死也是愛着的。你記得你去年我們的希望的磐石完全打碎了時我們緊抱着互相說過『我們雖然別了，永別了，但我們的心靈是至死也愛着的』的話嗎？愛人啊！我們至死也是愛着的！雖然你是做了人家的妻子，但我一些不知道；我的心只知愛着你，——我的靈只知追隨着你，保護你……從前我是慣叫你「安琪兒姊姊」的，但到現在我仍是要叫「你安琪兒姊姊」的。

你是最愛梧樹的，你說：梧樹的深濃的綠葉眞可愛，人站在他的下面，好像沉在大海底般的爽適快樂。可是現在——愛人啊，深綠的梧葉已被秋風打得深黃色的在地上飄蕩着哀泣了！我又想起我們不可再底往日，直是生中之死呵！……

我們這一對苦獄中的人兒呵！我們這一對苦獄中的人兒呵！

……………………………………

如蛇般的悲哀緊咬住了我的碎心，而淚珠又是這般的滾滾的在我眼眶中滾下來——臉上，紙上；愛人啊！算了吧，管他什麼辱罵欺侮，靠了我們這一對怯弱的人兒的不變的愛情幻想吧——幻想夢中的樂園吧；而且我們的墳墓也漸漸的築就了正預備我們去安枕

高臥哩！愛人啊！愉快些吧！你有的是我的心我的靈，我有的是你的心你的靈。我們大家愉快些吧，我們陶醉在這怯弱的愛情當中大家愉快些吧！愛人啊！算了吧算了吧不久魔鬼將要來結束我們的生命哩！愛人啊愛人啊！……

一一，四。

（二）

我的信剛寄出不久，你的信又接到了。
我忍不住我的悲哀了。
來吧，我的愛人！趁着我們的心還聽得見自然中的音樂，我們的眼還看得見太陽的光亮時，愛人啊！來在我這個懷中安息吧！
雖然你被人遺棄了，但這裏仍是你的家，你的棲所；這裏仍有那悲哀不能侵擾了的笑容，這裏仍有那煩悶不能消蝕了的熱情；你來時——你來時，我的愛人啊！都將爲你歌唱狂吟！

什麼禮教，什麼倫理，什麼姊弟，我們都不管，我們要冲斷了這使我們遠離的引繩，我們要打倒了這使我們隔絕的牆壁，爲了我們這愛情——這上帝給我們的愛情。

來吧，胆壯一點，勇敢一些，我的愛人啊！

我的心兒跳動，我的面色灰白，愛人啊，來吧。我們同跳起這個悲哀的深淵吧！用你的吻如雨點般的來落在我的唇上，用你的淚如薄霧般的來蒙住我的眼眶；我們擁抱着——來緊緊的擁抱着，什麼東西我們都不管，忘着過去——將來。

這樣…………

在我們寂寞得沙漠般的心地裏，將重湧起了一條活潑的溪流，游着魚兒跳躍；

這樣…………

在我們陰悽得荒野般的魂靈裏，將重種起了一株美麗的夾竹桃，棲着小鳥歌唱。

來吧，我的愛人啊！胆壯一些，勇敢一些；趁着我們的心兒還聽得見自然中的音樂，我們

的眼睛還看得見太陽的光亮時，我的愛人啊！來在我這個懷中安息吧！

一一，六。

一個懦怯詩人的雜記

人們都稱我是詩人，而且還加上了一個森嚴輝煌的革命詩人和一個改革社會的先驅者的頭銜……………總之，這樣許多雜七夾八的悅耳的頭銜，——我不敢說他是銜——我也記不清楚，其實也沒有記清楚的必要。最可笑的，還是勉勵我的鼓獎我的一封封的緜緜的長信和一篇篇的洋洋大文，直把無能的我抬入九霄雲裏，彷彿我真是一個詩人，真是一個革命詩人，真是一個改革社會的先驅者，都伏俯在我的足下，聽候我一句半句的金言玉語。可憐喲！這般俗人！可嘆喲！這般孩子！

我真是一個詩人嗎？真是一個革命詩人嗎？真是一個改革社會的先導者嗎？且住，聽我慢慢道來：

○　○　○　○　○

有一回，我疲倦的拖着雙足向小校場走去，瞥見許多灰色的丘八老爺帶着一個青年從我面前走來，後面跟着許多老老少少男男女女爭先恐後的擁擠得不堪；裏面夾着小孩兒的哭聲，大人們的呼喊聲，笑聲，辱駡聲……眞像海潮一般，前面丘八爺住了足，後面就一鬨的退了下去，前面丘八爺移了足，後面就一鬨的湧了上來，彷彿丘八爺故意和他們嬉戲一般。

這個靑年大約二十幾歲的樣子，蓬着頭髮，微黑的圓臉兒；雖然他的圓大的雙睛迸射着怒光憤慨，但終遮不了悲哀的神情。背縛着手，昂着頭，向着灰色的天空，彷彿和上帝在爭論一般。『哦！走到斷頭場裏去嗎？』不覺打了幾個寒怔；一個西瓜般的頭顱，噴着腥紅的血；睁開着要突出的雙睛滾到我的足下。

『這個人犯了什麼罪，這樣年輕的？』一個禿頭的老頭子提着只小籃顯着驚疑的眼

光無一定指定的向着跟在後面的人發問。

『聽說這個青年是某校的學生，聲援某紗廠裏的工人要求增加工資而罷工，被廠主——外國人——向宮廳告發現在要押到小校場去槍斃他呢。……』一個商人模樣的說了這幾句簡單的話就一閃的走過去了。

『哦！幫助工人要求增加工資而罷工要槍斃嗎？不得了，自由剝奪了！人道淪沒了！……』不覺胸中怒火燃燒。我想像着這青年是什麼人？工人是什麼人？廠主是什麼人？軍閥是什麼人？便拿出一枝鉛筆來寫我的詩；但是一剎那一切想像消滅了，怒火平熄了，在我的面前頓現着一個威風凜凜拖着指揮刀的軍閥，一個凶肉橫生黃眼睛的外國廠主，指着我說：『你寫！你寫！』一個西瓜般的頭顱噴着腥紅的血睜開着突出的雙睛便骨落落的滾到我的足下。

我望着灰色的天空，低低的浮着一片白雲，輕輕的藏下我的鉛筆。

○ ○ ○ ○ ○

這一回是黃昏的時候，是初冬的黃昏的時候，電燈還沒有亮，街道上薄薄的蒙着朦朧的暮色；西邊路旁一座三層樓洋房門外許多人圍着，我又走過去觀看，原來是許多人裏面站着三個婦人和七個孩子。婦人們是蓬着頭，面龐汚黑，雖然冷風逼人，她們却只穿了一件七洞八窓的籃洋布衫；孩子們赤着一雙彷彿從汚泥裏踏過般的黑足，鼻涕拖得長長的，面目幾不可辨；個個都哭喪着臉牽着母親的衣角嚷着肚餓。婦人們掛着一副枯黃得可憐的臉兒，一面央求着站在洋房門外的兩個警察替她們通報紗廠經理：『要求加些工資，我們已經兩天沒有飯吃了，丈夫在廠裏又不能出來給我們設法，終要請經理先生開開恩。』一面又要百般的撫慰孩子們：『好寶貝，不要哭，再停一歇，等到經理先生給了我們的錢，我們就可買飯吃了；好寶貝，不要哭。再停一歇。』我不覺心臟劇烈的跳將起來，替她們落下了幾點眼淚。——作算是同情淚——但是她們所希望的終歸失敗了；兩個經理先生的僕人—

——走狗吧?——出來厲聲的向她們說:『不要這樣胡鬧,我們經理先生是每天給有你們工資的,又沒有少你們一文制錢;現在這個樣子,難道你們死了,也要我們經理先生給你們辦棺材嗎?快滾開!——朝着警察——要你們站在這裏什麼用!裏面經理先生在辦酒筵,知道不知道?快給我們趕走!』說完就揚長的走進去了。隨後一陣絕望的哭聲直使我毛髮直豎,恨不得立刻拖出這經理來捽死他,才洩我胸中忿恨!然而這是不能的,于是我想像經理此刻是在大張宴會,三元,五魁,八馬,……她們此刻是在痛哭飲淚,想現在,想將來,……她們的丈夫是在沙廠裏餓着肚子流着汗在機器面前作工,他更想着他的妻子孩兒此刻是在等着他歸去,給他們充兩天沒有吃飯的饑餓,傷心,嗚咽,……或許她們更有公公婆婆在屋,那末此刻更倚着破扉望她的兒子歸來,她的媳婦孫兒歸來,每逢有足聲近時,末必定低聲的呼着兒子孫兒的名,等着,待着,望着……我便拿出一枝鉛筆來寫我的詩,但是一剎那一切想像又消滅了,忿恨也平熄了,在我的面前又頓現着一個大腹便便的經理,背後

跟着一個冷笑的軍閥，指着我說：「你寫你寫！」彷彿一桶冷水從我的頭上直澆下腳跟我。

望着街角裏慘慘暗淡的電燈光，朦朧的移着幾個黑影，輕輕的擲下了我的鉛筆。

○　○　○　○　○　○

狗了，就是這樣——其實這樣我不知多少次遇着過——朋友，你莫謬讚，你莫瞎猜我是一個詩人嗎？是一個革命詩人嗎？是一個改革社會的先驅者嗎？哈哈！

「附記」這篇東西是我新近遷居到利塔里從一只字紙簍裏翻出來的，雖說不是一篇好的東西，但倒有幾分滑稽和諷刺。題目是我給他擬的，當然不配，但只好委曲了這位詩人了；好在他——這位詩人，從這篇文章上看來，並不是一個「黑旋風」一般的詩人，大約總不會出來罵我多事吧？

一〇，三〇，記。

阿菊

我在街上每看見有喜轎抬過，不知什麼我總要聯想到我幼時的不幸的游伴——阿菊來。

★ ★ ★ ★ ★ ★

她是三阿姆！——因爲她的丈夫老三——的姪女，三阿姆是我的母親好朋友，所以母親常常帶我到三阿姆家裏去。我很明瞭的記得，她是三阿姆介紹給我做朋友的。三阿姆說：「你們倆到是一對兒。阿菊來，你們好好兒玩，不要打架。」而拿着幾塊香蕉糖分給我們。當時我很怕羞，低着頭，咬着手指，總不敢走近去。到是她先走近來，牽着我雙手問我道：「你會撮石子嗎？」「會撮的。」我像不敢說出似的說。「那末我們來賭糖好不好。」「好。」我胆有些大了。於是我們就揀着簷下一塊較光滑的石上坐下開始撮了。但是我總回回輸給她的，

幾乎沒有一次贏過。三阿姆給我的糖，統統給她贏去了。「不來了，我糖輸完了。」我說。「不要緊。」她將我輸給她的糖統統給還我。我們手牽着手跳來跳去好像小麻雀一般。

她那微紅的面龐，彷彿淡朱塗着圓滿有笑窩的臉子，帶有一種早晨時光一朵含苞欲放的花的新鮮味兒；烏黑的頭髮，覆着前額，黑而活潑的一雙神祕的眼睛；血紅的嘴唇，微露着一排雪白的整齊的小牙；大概在我的弱小的心靈中，已萌着「愛」的種子了。我幾乎每天在母親面前吵嚷着，要母親帶我到三阿姆家裏去，好同阿菊游玩。有時母親有些惱了，我自己也會跑到三阿姆家裏同阿菊去玩。我那時年已五歲，從我家到三阿姆不過相隔四五進屋吧了。

三阿姆的屋外有一株很大的銀杏樹，當春天的時候，密密的綠葉，織成了一片很大的帳幔把天遮得都沒見了。從樹下看上去，好像綠的霧一般。倘使你天氣覺得很熱的時候，取一把躺椅坐在這樹下面，一定包使你涼得像冬天一般。總之簡單的講一句：人坐在或躺在

這樹下面總不覺得他是坐在或躺在這樹下面，只覺得他是落在一個大海底下，一個綠的大海底下。我們每天玩的地方，差不多都在這裏。將溪灘邊好的石子瓦片都揀了過來，敲得很圓，像洋錢一般。在樹下面拋擲比賽。誰拋擲得遠誰的本事好。或者在樹下面辦起酒筵來、餅，糖，雜七雜八的花，她當做來吃酒者的賓客，我當做辦酒筵的主人，大家都裝得很有禮貌似的，互相推吃。記得有一次給三阿姆看見我們賓主相推吃的樣子，笑得她嘴吧總合不攏來。三阿姆說：「好一對小夫妻呵！可惜阿菊沒福——同姓。」

大約七歲吧，我的母親要我上學校讀書去我哭哭堅執不去，母親問我。「你爲什麼不喜歡讀書，學校裏有很多同伴和你玩呢。不像家裏只有你一個人。」我說：「阿菊不去上學，我也不去上學。我要同阿菊游玩。」——「她是女孩子，女孩子是不能讀書的。」母親說。後來他們總歸像猪一般的捉我到學校去。但是我在學校裏總沒有忘記她，到放夜學的時候，總先跑到她家裏，游玩得到黃昏的時候才跑回家裏。

年歲如流水般的把我們中間流成一條很闊的河了。我已在高小畢業預備入中學。她也已是一個待字的女子。終日的幫着她母親煮飯做衣服料理家事……一些沒有如從前般的天真了。見着我，總連忙避開，彷彿我是隻猛獸。

★ ★ ★ ★ ★ ★

★ ★ ★ ★ ★ ★

去年放年假比別年來得早。我的祖母對我說：「你少的時候三阿姆待你如親子一般。現在你在外面，她又常常記念着你：「翰幾時好回家……」你應該先去望望她才是……」我便不等祖母說完，我便應聲「祖母，我去。」那時我也實在想會一會阿菊看她現在怎樣了？我走進三阿姆家裏，第一就看見她坐在自己門口俯着頭正在補一件破衣服。她沒有看見我，我咳嗽一聲，她仰起頭看見是我，便連忙站起來紅了臉孔，對我枯笑了一笑，仍舊坐下補她的衣服。我真驚訝得了不得，她這麼變得這樣了，二年不見！枯瘦的面龐，青得非常可怕，

眼睛也凹進了，彷彿生過一場大病一般。頭髮梳着髻，越顯得是一個生過孩子的婦人。……總之她是變成另一個人了。如花的面貌，爛熳的天眞，都消滅得無影無踪。我一陣心酸，眼淚也不禁要躺下來了。在三阿姆家裏談坐一會，就很不快的回來了，彷彿我的心被人刺了一刀。

「阿菊字人不，怎麼憔悴得像病人一般。」我回家連忙問祖母說。

「聽說她的父親把她配在不知什麼山村裏一個農家的兒子，她很不願意呢！她也哭過幾次，但是有什麼法子。」祖母說。

「怎麼她的父親這樣昏昧，把她配在山村裏農家的兒子，好端端的一個人。難道她母親也一句話都沒有？」我驚愕地說。

「聽說她的父親欠這農家的錢，沒法償還，所以只得將他的女兒配給他們，……這樣伶俐的一個人，……可憐！……」祖母講到這裏也非常悲傷了。

以後我也沒說什麼，只覺得喉中像有塊東西塞住一般。我還說什麼呢？還有什麼話可說呢？

★ ★ ★ ★ ★ ★

三月裏突然來了個消息——同村的朋友傳給我的——說：「她已娶去了」。唉！她不是去償債嗎？……說什麼娶去。

我現在一閉眼，就看見她那枯瘦的面龐，微微的慘笑着。

一四，五，五。

第三輯

老光棍

『老光棍！老光棍！』

他昨天星期六下午從學校回到寓所來的時候，在路上聽見了有幾個學生在叫他老光棍的聲音，他便如失魂地跑到如狹籠般的寓所，把門恨命的一關，身子如樹被砍斷般直掉在牀上，兩手蒙着面暗暗地抽噎低泣。

他昨夜差不多一整夜沒有睡着，看看四周蕭條的牆壁，和灰暗慘淡得如死人面龐般的電燈光；想想自己年紀已快入墓地的時候，竟沒有一個女子來溫存地細貼地撫愛過他的心；眞像裂碎了般的苦痛，跟着兩肩便不住地抽動，眼淚也就在這抽動之中從眼眶裏很迅速的如泉般的湧了出來，斜流到他的耳邊枕上：

我的青春去了，沒有誰來過，沒有誰喚過，寂寞苦痛——我的青春在這寂寞苦痛當中靜悄悄地去了！更沒有誰爲我設想和留意！

他是一個受過高等敎育的男子，現在已有五十四歲了；照他年齡講起來，到這時候還沒有結婚，人家喊他老光棍，也並不爲過的事情。——誰敎你到這時候還不結婚？可是他聽了這老光棍三字，心裏總像一把尖刀在剜割一般；雖然他也知道自己年歲的確老了，他是再也不能有愛人或被人愛的資格了；但他總還自信他的一顆人家以爲行將枯澀的心仍是一顆富有熱烈的眞摯的愛情的心，充滿着年少的純潔的愛情的心；因此他是常常在夜裏這樣咀咒上帝的：『上帝！萬能的上帝！你老瘦了我的形體，卻爲什麼不把我的心也老瘦了呢？』

本來『老光棍』這三字，並不是昨天第一次給他的銜頭，前二十年他到姑母家中去，

姑母談論起他的婚事來，已老早的和她說過了：『——傾含你到這時候還不結婚，恐怕你終身要做一個老光棍哩！鄉下女子也好啦，何必要揀擇讀書女子呢？』雖然那時候他聽了姑母的話，心裏覺得不大舒服，而且有些反對的意思，但那時只是不舒服吧了，一些也不感到將來的痛苦，也一些不料竟會找不着一個適當的女子而且竟介有做老光棍的時候，只是在做着美滿的幻夢。到了現在——現在這樣的無可逃避的年歲壓在他的肩上，他是眞的感到苦痛了！他孤獨！他將永遠的孤獨了！老光棍！他將永遠的做老光棍了！

他沒有父母伯叔也，沒有兄弟，所有的只是一個同他年紀差不多的妹妹伻；她是已做了人間的祖母了，現又遠在千里之外，說到來照顧照顧阿哥，是永遠不會有的事情；或者那個妹妹已經死了也未可知；所以他有時一想起一旦他死了，他將敎何人來收理，來埋葬他的屍骨呢？他便很悲傷的說：『人生總有孤獨的日子，但我却爲什麼老是過着孤獨的日子？連死了也沒有人來爲我收理埋葬！』他不禁哭起來了。有時他也想起海涅的一首輓歌：

兩種力

何處是將來
疲倦的漂泊者的最後棲所?
南方的椰子樹下?
萊茵河畔的菩提樹影裏?

○ ○ ○ ○

我能在一個廣大的沙漠當中,
被素不相識的人掘土掩埋了嗎?
或者是要彊臥在一個
大海岸上的沙石堆裏?

○ ○ ○ ○

總之,上帝的蔚藍的天空覆蓋着我,

此處無異彼處；

並且如守屍的燈光般的

夜間的明星在我的頭頂虛懸。

朗誦着來自慰；但畢竟是自欺欺人；更何况他平時還說『得不到愛人的情愛，我總一日不死』的主張呢？所以他雖然爬上了這許多年歲梯子的人，還是期望着這所謂人間的愛情到來。

他的過去的五十四歲的生命史中，固然在這樣的幻想和痛苦中斷送了，到現在是再也沒有女子用熱烈的愛情來傾愛他了；但他也曾經有一次，僅僅一次在某個時期內發狂地痛苦地愛過一個女子，而且也爲了她着實的害過一場劇烈的相思病；雖然沒有得到她的愛戀的酬報——而且還受了那個女子的種種侮辱，但在他近死的枯心中，有時却很清

楚地憶起她來。至于回憶以後，不免又倒在床上來痛哭一頓。

那是在他二十七歲的上年的時候。他因朋友的介紹到下縣一個初級中學校去當英文教員。這個初級中校是男女同學的，但因爲男女同學的制度是剛剛在這年實行，所以女學生很少，每班只有七八個。他們的教員有二個是女的。一個姓沈的担任音樂課，一個姓周的担任圖畫課，他就在這二個女子當中，苦戀着了具有溫和活潑的性情的沈先生了。

若用嚴酷的眼光批評起來，她並不是怎樣的一個美豔動人的麗人。圓短的臉兒，黑瞳圓大向外微突出，鼻樑高聳得酷像一個外國的女子；她的嘴唇灰白，一些也不能引起他人的美感；而且面色微黑，說不到有帶着朝霞底可愛的赧色；她所有的只是一副緊張的皮肉，強健活潑的身心，和黑髮蓬鬆的覆在額上兩頰常帶着有趣的——不是甜蜜的——微笑以及滿口伶俐的言語吧了。所以她是一個強健的富有生趣的女子，並不是一個怎樣嫵媚溫柔美麗的女子。

自然，這樣的一個女子對於這樣的一個沉默的他不是一見就會發生熱烈的情愛的事。他進校後三日，他偶然的踱到校長室中去見着那個女同事也在，他們便互相點一點頭就坐下了。

『你們兩個恐怕都還不認識吧?』校長先生放下他正在抄寫的鋼筆抬起頭來向他們發問，他覺得心裏微微的跳了幾跳，輕輕的彷彿鞠躬般的點了點頭。

『這位先生好像在什麼地方看見過般的很面熟吧，可是想不起來了。』這位女同事很大方的這樣說了後，他心裏頓時覺得奇怪起來了，同時他也把心哩的記憶簿翻了幾翻，但也總歸想不起這個女同事在什麼地方會見來的事情。

『我也記不起來了。』他只得很偏促的模糊的照樣的回答她一句。

『不用思索了，我替你們介紹吧?這位是沈惠芳先生，在這裏担任音樂課的。這位是王領含先生，在這裏担任英文課的。』校長先生把右手的食指指了二指說了後，他們眼睛很

不自然的注視了一回又轉向別處。但他心中充滿着狐疑，總想不起來從前有怎樣的一段會見的事情，他想着他是沒有女朋友的，就是同女子也可說是從來沒有接觸過的，怎麼她會說好像看見我般的，而且還說很面熟，這眞怪透了。他又想着他這般的一個孤獨的人還有一個不相識的女子牢牢的把他印象記着，他覺得光榮了，他的黑暗的前途外好像另有一種輝燦的幸福在等候着他，一霎時他由奇怪的感情，立時變成愛慕的感情了。

此後她好像很關心的還問他的家鄉身世以及上年在什麼學校敎書等等的事情。她那一見如故般的活潑的態度和小鳥啘囀的鳴聲般的伶俐的言語，使這個從未和女性接觸過的他眞感着無上的溫柔而傾愛於她了。

他從校長室中走出來的時候，她還很自然的微笑的向他點了一點頭，他覺得他的面龐耳根如火燒般的發熱了。哦！他心中的愛火已被她燃着在熊熊的燃燒着了。

「這眞奇怪，偶然的碰到，她爲什麼這樣的留意我呢？問家鄉問身世……難道她有意

於我嗎?你看我出來的時候,她還對我笑了一笑呢。唉!我過去的孤獨的半生,寂寞的半生實在太使人難堪了。這次有了這樣的機會我總要好好地捉住她了!她雖然並不怎樣的美麗,可是她那溫柔大方的態度和音樂般的聲音已足夠抵過她的一切缺點了。況且我已到了二十七歲的年紀,還不找個愛人來安慰安慰自己的孤獨的生活,不但自己面子上不光榮,而精神上也實在太痛苦了。現在面前既然有這樣的放着個伶俐的女子——一個屬意我的女子,我應該去努力進攻才是,進攻!進攻!』他回到寢室裏這樣的想着以後,他那從未在女人身上用過的熱烈的情感好像一個炸彈爆發般的都堆積到他身上,他的枯心也突然如花苞遇着溫和的微雨洗着般的怒放了,他頓然生了一種立刻到她的寢室裏去想和伊擁抱接吻的欲望了。但是他又想『看她這樣和初次碰到的我談話的自然和大方的態度,恐怕一個純潔的處女幹不出來吧?至少不是偈促總會應該帶有羞怯的神氣,唉!她已經做了人家的妻子吧?訂親吧?或許她已有了情人吧?』他沸騰的心立刻的好像浸在冰中般的

冷死了。這樣他迷失在思緒中去了，直使他一整夜沒有睡着。

于是他開始各方面探聽關于她的歷史了。他從幾位在這裏長久的同事中探聽出她是校長先生的甥女，她在這裏已有兩年光景了，她年紀雖有二十五歲，但是沒有一個情人；說到澈底一些，她好像有些不需要情人的樣子，不像別的人們般的得不到情人就要苦惱和悲哀，她依舊如小孩般的天眞快樂活潑，好像在她的字典中沒有情人二個字一般。他聽了這樣話後，心裏倒也奇怪起來了，爲什麼有這樣的連一個情人也不要的女子？她抱獨身主義嗎？于是他覺得他對于她的幻想是完全錯誤了。可是他又記起了她對于他的富有情意的一笑，他又證明他們的話語是錯誤的，不了解她的心情的。他想這樣的女子才是我眞正的伴侶——永久的伴侶呵！

他開始注意她的行動了。有一次他挾了書上課去，在音樂敎室門外走過，他看見她已在音樂敎室裏上課了。他于是想聽聽她的歌聲，便遠遠的站定。她好像看見他在聽着般的

於點名後就立刻提起歌喉唱起來了，一種清脆的婉囀的嘹喨的如黃鶯兒迎着春風站在柳枝上歌唱般的歌聲，真的把他的靈魂也隨着這美妙的歌聲蕩漾於渺茫的太空中了。他是陶醉在這纏綿歌聲中不知一切了。若不是校役用一種稀奇的神氣叫他去上課的話，他就是死在這雋美的歌聲上也是情願。於是就在這一日他到教務處裏把這一點的功課換到下一點鐘以便常常到這時候可以聽個暢快。

兩星期後她好像覺得他是在聽她的唱歌，把喉聲越發唱得高了。他呢，故意的有事情般的眼睛斜也不斜的急忙的走過去又急忙的走回來，結果仍站在離音樂教室不遠的廊下一株碧桃樹下。有一次他真傾心的聽着的時候，突然背後聽見『王先生站在這裏做什麼?』的嬌聲。他把身體一怔回轉頭來一看，那知就是沈女士，她左手拿着音樂教本在對着他微笑。他不覺面紅耳赤了，彷彿他竊聽她的歌聲，她在卑鄙他一般。一時羞恥與侷促併在他的心裏，他的心如小鹿在撞般的突突的跳動了。『沒有什麼。』他回答後把頭微微的抬

起來見着她仍是在不住的對着他微笑。『再會』。她說了後頭一點就扭轉身子很快的走了。她的身體本是很強健緊張的，走起路來，彷彿男子一般，可在他那時看起來，她真像一株風中搖曳的楊柳婀娜地往還輕颺，她的容貌也好像仙子般的美麗了。他望着她的後影，他的神魂真不知飛向那裏去了。

自從她這次對着他微笑後，他越發愛着她了。他也曉得她並不怎樣的豔美，但是他總被那微笑緊緊的鈎住了。于是他進一步就想尋一個機會來和她談話了。所以他幾次碰到她的時候，他總點一點頭直立着身子希望她在這時候也立住可以談幾句話；可是她呢見着他仍照樣的一笑，在他將未開口欲開口之間，已很快的走過他的身邊了。他望着她的背影又感到茫然了。

畢竟愛神是仁慈的，她賜與人們的愛，總想達到人們所期望的目的的。他也畢竟達到他的目的了。

是一個將近黃昏的時候，金黃的太陽已由西山沉下。他倚着寢室門外的洋台的欄杆上，望着四處的黑的炊煙漸漸上昇，滾成一團一團的在空中打翻，不久便都變成淡灰色了，一團一團的在空中消滅，他不覺嘆了一聲：『唉！人生也不過如是而已！』一陣憂傷如霧似雨般襲來他的身上，他只是低着頭來回的在洋台上踱來踱去。

『王先生，一個人不寂寞嗎？這樣的踱來踱去？』這樣突如其來的嬌音，使他在憂傷中嚇了一跳，他抬起頭來見沈女士滿臉堆着笑容已立在他的面前了。他的心臟又劇烈的跳起來了。

『不覺得怎樣？你到那裏去？』他偪促不安地說。

『剛從周先生那邊來。王先生，你的房間在什麼地方？』她笑着說。

『就是在這一間，請進來坐一忽兒吧？』他把門開了，用着一月來所想的話說了後，他想這次總可談話了。

『好的。』她走進房裏不等他的客氣就坐在他寫字檯邊的椅上了。

說些什麼呢?他想。總要說些殷懃她的話才對呀!

她在抽屜裏翻出他的一大本的稿子來,很快的一翻。

『王先生,這是你自己抄的嗎?這樣厚的一本,而且裏面的字還抄得這樣清楚。』她注視他說。

『不,不是叫別人抄寫的。如其要叫我抄寫這樣清楚的字,不容說這樣一本,就是一千字也抄寫不上哩。』

『這樣沒用。』她說後,瞇着眼對他笑。

『你看,我右手腕下生着一個小瘤哩,多抄寫就覺得疼痛了。』

『那裏?』於是他把右手給他看。『啊喲!奇怪!爲什麼生在這個地方?到有趣。』她微笑着把右手的食指伸過來到他這右手的瘤上輕輕的撫摩一下,這一撫摩呵——這一撫摩

好像觸電般的一種處女的特有的溫柔的感覺直透到他的心裏，他的熱血沸騰了，他的神經麻木了，那時，他從未發洩過的狂放的熱情竟推送他到了傾倒的地步了，他從興奮異常的神情中竟顫抖的伸出了左手去握她的手了；但等到他伸出手去握她的手時，她的手已老早的縮回了，他竟握了個空。她不覺格格的大聲的笑起來了，接着她便立起身來如疾風般的很快的出去了。

他好像石像般的只是注視着那只她坐過的椅上，他那只左手仍是筆直的握着什麼東西般的伸着；最後他覺得手酸了，緩緩的縮回來，定睛的一看方才覺得她是走了。他很明晰的想起她是在他伸出手去握她的手時，她縮回手去發着笑聲而走的。他覺得四周立時變成空虛了。一種被女人侮辱的——蔑視底侮辱，棄之如草介般的侮辱的羞恥，使他對于她感到氣憤憤了。『我不能受她底侮辱，我決不能受她底侮辱，我須得報仇，我須得洗雪我的羞恥』他的眼淚也氣得流下來了。

『可是怎麼樣報仇？怎麼樣來洗雪我的羞恥呢？』這確是一個難問題了。這樣一來，他的思想本是向左轉的一變而爲向右轉的了。『這不能夠怪她，完全是我的意志太薄弱了。不能抑制我興奮的熱情的緣故。怎麼對着一個沒有甜蜜的交際的女子——處女可以這般忽莽的去握手呢？處女的貞節是何等的寶貴呵！不錯，完全是我的錯誤，我還須來打自己的手，怎麼會這般的粗魯的伸出手去把我和她這樣好的談話的機會輕輕的給牠失掉。至於她縮回手去和默默的很快的出去，這是她對于男子這樣行動的驚懼，和應該保持牠處女的一種尊嚴的態度，決不是侮辱，決不是發怒；你看她那時很天眞的笑着是何等的溫柔呵！或許女子對於男子發狂般的行動覺得有趣，故意的引逗你得使你成了一種可望而不可卽的焦急的痴態來做她的玩具；而且女子在一個男子的跟前，也往往是成爲一種撒嬌的，賣弄的，不忠實的，使得你格外的起勁愛她；然後她才把眞正的愛情完全的付給你。這差不多是像一種測驗一樣的。』他的氣憤羞恥立時被一種幸福的欲望遮住了。他想，二十六年

來我渴慕女性的焦急的一種頭腦裏精神裏呈現着的不穩的現象這次總可以如願而償了吧。他不禁快樂得雀躍了。

從這次後，他雖然用了他自已的不徹底的思想把這件事情解釋得很圓滿得意，可是一碰到她的時候，他總是患着心病般的恐怕她爲了這事情「東鄙我了吧？」思想着，他就是連正眼去看一看她也不敢了。而她仍如若無其事般的照樣的給他點頭微笑；同未發生這件事情以前，一些沒有異樣。這眞使對于戀愛事件一無經驗的他，把顆心兒蕩漾得莫名其所以然了。

天氣已由春來轉到初夏了，校園裏的樹木也由嫩綠變成一種深濃的葱蘢了。天氣熱燥得異常，使人穿了件單衫也覺得有針刺般的東西在遍身刺着一般。晚飯後他從校裏東園中摘了一朵被日光曬得枯乾了的花瓣也只有寥寥幾片附着的玫瑰花，在操場中獨自望着蒼茫的暮色徘徊着。

「密司忒王——」突然他聽見了一種尖銳的聲音從對面的西園中傳達出來，他聽覺中立時感到這聲音是他聽慣了的念念不忘的沈女士的聲音，可是他抬起頭來向對面一望，因為有幾株很大的梧樹陰鬱的遮欄着他一些也看不出她到底在什麼地方陰藏着。接着一陣悅耳的笑聲鼓動他的心臟跳動了。

『誰？出來吧？』他故意的這樣問着。

格……格……『我呀！』從梧樹中跳出來一個飄飄若仙子般的沈女士。『你聽不出嗎？我的聲音。』她笑嘻嘻的注視着他那突然變成遲鈍的癡呆的神色。

穿着白的衣服，黑的裙子，白的皮鞋，在背後襯着葱蘢的梧樹，眞像童話中在深林裏托出一個美人一般，兩只乳房——富有誘惑性的乳房因衣服小便很柔輭的突出在她胸上；孩童式的黑髮覆蓋着她的烏溜溜的黑睛，快樂的笑容的面龐；在今晚他特別的感覺到她的美麗了；他被她的美麗把全身的血脈怔住了，他的心飄蕩着好像她的黑髮被微風飄散

着一根一根的染在她的面上耳裏……

『因爲在想着別的事情，所以你的聲音辨不出來了。』他從舒適得軟洋洋的狀態中掙扎出這句話來。

『日裏眞熱得使人不耐，現在這時候眞爽快極了。』她緩緩的走近來。

『是，現在溫和的微風眞吹拂得使人爽快極了。倘使在這情景裏幽——』他知道他的熱情在爆發了，因有前車之鑒，他便馬上停止他的話，可是他的面龐已如發燒般的灼熱了。

『幽什麼？』她再走近一步斜着頭笑向他。

『是——是散步再好沒有了。呵！』他輕輕的換了口氣。

『玫瑰花眞美麗。』她指着他手裏的玫瑰說。

『可是她有刺。』他覺得他的心又劇烈的跳動了。

『這就是他美麗呵!』她笑了起來。『你這朵玫瑰花是什麼時候折來的?已經枯了哩!』

『唔!我送給你好吧?』他不能抑制他的熱情了，很不自然的伸出顫抖着的手遞過去，玫瑰的花瓣被他的手的顫抖片片的落下了。一種羞澀而恐懼並且極其懦却的向她獻殷勤，又使她發笑起來了。

『你看，這不是玫瑰花了。』她笑得按着肚子把身子蹲下地去。他把視線移到拿着的玫瑰花上，眞的，只有一個花蒂了，粉紅的玫瑰花瓣，片片的都落在他的足邊，他的面龐立刻紅起來了，心裏覺着羞愧又惱傷。

『那末我到東園再去折朵來吧?你要接受我呵!』他的哀憐的話音幾乎像要哭出來了。

『不，我們到那邊西園去逛逛吧。』她看着他的獃態誘惑的笑說。

『唔!……』他隨着她感覺到他自己的渺小了。

『密司忒王；這株桃樹是我前二年親手種的。眞長大得快。你看現在牠會結桃子了。』

她指着這株短小的覆着繁盛的綠葉結有如酒杯口般大的青紅的桃子說。

『多麼可愛呀！』他走近桃樹下撫摩着桃子說『微紅得怪有趣的。你可允許我摘個吧』？

『可以。』

他摘下桃子，用手巾把周圍揩了一揩取出洋刀削了一片。他想，吃着她親手種的桃子，是多幸福！

『不好吃，怎麼會這樣酸苦？看看外面已經很美麗得可以哩！爲什麼裏面就這樣使人失望？你灌溉得不合法嗎？』他吐出了吃進的桃片，感覺到自已的話說得很有意思，同時他也感到自已的心在突突的跳了；她會知道嗎？

『你吃了我的桃子，還要嫌憎好壞，你這人倒眞難弄哩。』她嬌嗔的說。

他聽了霎時間覺得快樂極了，好像她已允許了給他的愛情一般。那時恨不得把她緊

抱在身上從頭髮到腳跟狂吻了一回。

『唔！我吃，酸，苦，甜，辣我都吃下去。』他很快的把這只桃子連吞帶嚼的都吞了下去。吃了後好像還有餘味般的把舌尖舐着嘴唇連嘴裏的液質都咽下肚去。

『傻頭傻腦的』她看了他這癡態狂笑起來了。

『密司沈……』他的熱血沸騰到了極點，他進一步感到這次向她求愛是再好也沒有的機會了。

『…… ……………』

『密司忒王，再會。你看，天已經黑下來了。』她好像已經覺察出他所要說的話便不等他說點了點頭笑了一笑很快的穿過陰黑的梧樹不見了。

他失望的望着她的背影以至不見，心裏覺得異常的悲哀空虛。他的手因爲身體的顫抖攀住桃枝，不致跳下去。他抬起頭望見灰暗的天上已點綴閃爍的小星，彷彿在嘲笑他一

般；他微微的嘆了一聲：『又是這樣的一次！』

天氣一天熱如一天，已經到了盛夏快放暑假的時候了。他每天感到苦悶虛空，每天只想着沈女士，要想從沈女士的整個的人格的當中推測出她爲什麼要這樣的引逗他愚弄他，使他一剎那感到快樂一剎那又感到悲哀的煩悶？可是他因爲和她談話的機會來得少而且關于她的歷史詳細也不知道，所以他終歸是推測推測而已。他有時想她或許另外有情人了吧？便注意她的行動和來往的客人同事，有否可以懷疑的地方，甚至他每天到門房裏從她的信封上去檢查她往來的信札，有否破綻可以看得出來。可是奇怪，從這許多的事情裏，他連極微小極微小的破綻一些也看不出來。他於是想，或許她玩弄我是在試驗我對她的愛情誠實不誠實的緣故吧？未必無意於我；現在乘這暑假快到了的時候，或許可以再來一次；那大概她總有表示了吧？如果她答應我了，那是再好也沒有的事了，或者因此暑假時可以不回去下年仍繼續在這裏，如果她拒絕了，或者仍如前二次般的引逗，那我也可以

死心蹋地，早些滾蛋另尋別的下年嗽飯地。雖然這樣的舉動是太使我初次墮入在戀愛的旋渦當中的人太悲哀了，絕望了，但是如在現在般的模糊的焦急情景之下，不亦太使人煩悶了嗎?況且她除我以外又沒有別的情人，這樣的純潔天眞的處女，我還不能得到她的愛，還想去找別的情人嗎?唉!悲哀!悲哀!

於是他在將放暑假的前四天裏，寫了一封信給她，約她在晚飯後到僻靜的北園中談話。

晚飯後的園中什麼聲浪也沒有，天上一輪明月，從很繁密的梧樹隙中露出薄紗般的銀光，而且很强烈的如水般的瀉在地上花間……茉莉花已經很美麗的開着了，一種溫和的甜美的香氣在夜色中浮盪着，直使人心靈欲醉。一陣陣的和風吹拂着樹葉，無數的小星很微弱的閃耀着，好像美人的醉眼一般在深綠的花叢中，很多的流螢如穿梭般的快樂的飛翔着。

他坐在梧樹下一條石凳上，見了這樣醉人的景色，不禁神迷了。他想:

『這樣的景色，才是和情人甜蜜的話着情語，接吻，擁抱的背景呵！』

『今夜恐怕要辜負了這美麗的月色吧？』他又想到這裏，一種沉默的悲哀壓倒在他的身上了。

他看見遠遠的一個人影穿過花叢踏着月夜很快的走來了。微風飄拂着她的白衣額髮衣角裙子，看去眞像一個白衣的仙女一般。他連忙站起來迎上前去。

『謝謝你！密史沈，竟如我的願望到這裏來談幾句話。』他吶吶的說了後覺得很有些像煞有介事了。

『你看，今夜月色多好呵！』她抬起頭望着月亮好像沒有聽見他的話一般。

『唔………』

他們緩緩地在月光照着的黃澄澄的沙地上走着，周圍寂靜得一些沒有聲音，一種好像從地面噴射出來的淸香的沉寂溫煖的夜色，使他的愛火格外的燃燒起來。

『瞧吧！瞧吧！……他陡然的指着遠遠的一株梧樹隙中一顆小星在月霧中對着他們顫爍——密史沈，倘若你能懂得這個意思，你一定是很幸福的。但是我覺得你不懂得這個意思，並且也不懂得我的話，因爲——』

二隻夜鳥聽着他們的脚步聲在花叢中突然的飛起來。好像射着箭一般，𠴭的一聲，飛到較遠的一株夾道上。她驚了一驚便住了足。

『呵！二只夜鳥！』

『你驚破了他們甜蜜的夢了。』

『這樣美麗的月色我可以說是從來沒有看見過。』

『是，是我也覺得很好，可是我……我的……心裏總……好像……欠……缺一件……東……西般……的，……』他的話音顫抖得使人不能聽見。

『看吧！搖動的花葉上的月光，好像在滾着一般；花葉要躱避，月光偏要向她灑。眞有趣

』在月光照着她的蒼白的臉上他看見了她的笑容。

『唉……』他重重的嘆了一聲彿彷覺出了這是她對于他的宣言警告。

『我們折回去吧時間很久了。』

他感到失望了，想阻止，又說不出話來。

『密史沈，光陰眞快，再停過幾天，又要放暑假了。』他于是把話轉了方向，再作他一度的觀察。

『你幾時囘去？下學期來不來？』

他第一次聽到她對于他着急的帶有撫慰性的話了。

『我想後天就囘去，下學期來不來沒有定，因爲我是一個到處流浪如浮萍底無定般的孤獨的人呵！』

『密司忒王，你家裏還有什麼人嗎？』

『沒有——一個也沒有……』一種辛酸的悲哀從他的心裏滾起一直滾到眼眶中，他忍不住滴下了幾點淚來。

『哦！是這樣的！』她也爲他微微的嘆了一聲。

他由悲哀當中覺着他的話有幾分効力了。

『你願意聽我悲苦的歷史嗎？』

『當然願意的，但恐怕又要傷了你的心吧？』

他又覺着她是眞的同情他了。

于是他乘她坐在一株夾竹桃旁邊的一條石凳上，他也就在離她雙足不遠的草地上，也不管他潮溼的泥土會滲溼了他的衣服，晶瑩的露珠會冷透了他的肌膚；他開始講着他幾歲時沒了他的父親母親，以及種種所經歷過的困苦的事情了，他只覺得在她的面前敍述他的歷史是最幸福不過的。

『密司沈，你聽了我這個孤獨人的歷史覺得怎樣？』他的全身的熱血立刻都湧上在他的腦際，身體也好像被一種預期的幸福快樂顫抖了。他在她的身上好像聞着了一種香氣，剌心的香氣，陶醉的香氣……他第一次聞到處女的肉的香氣了！

『你的身世是怎樣的可憐呵！』

他看見她的臉上彷彿也爲着聽了他的歷史罩上了一層悽慘的面幕。他的眼眶裏面好像燃燒着熊熊的火一般，頓時張大了起來。一起身便跪在她的足下。

『密司沈，我最敬愛的沈先生，你懂得我心裏的話嗎？你懂得我孤獨人的訴說嗎？我愛你，我用我整個的心兒愛你，我用我全身的熱血愛你，你懂得嗎？我是一個世上最孤獨最可憐的人，我須要你的撫慰，我須要你的愛情，你懂得嗎？我最敬愛的沈先生，你懂得嗎？你屏絕我可憐的人的愛情嗎？……』

他的眼淚滴滴的滴在草地上…………

她聽了他的突如其來的雜亂的話，不覺呆住了。繼而猝然的立起身來：

『你發瘋了嗎？你看那邊有人來了。』

等他轉過頭去她已是如從惡魔的手中逃出般的很快的跑去了。

羞愧，悲哀，絕望……一時都齊集在他心上，他竟栽倒在草地上了！

『唉！女子……究……竟……是……一種……怎……樣的……東……東西……呵！……』

這樣簡單的平凡的故事在他那心中已有二十多年了，可是他並不忘懷，因爲他那一生中只有這一次的事情比較別的來得豔麗些浪漫些，他怎能忘懷呢？

現在他是老了，一些也不須隱諱，他的霜般的白髮和額上的皺紋，已很明顯的表示他是不能再得享有愛人人愛的權利了。他只有詠嘆青春時代的豔事消失，沉溺暮冬時代的夢的再演！

『雖然是個老光棍，但心中的浪漫火也曾一度熱烈的燃燒過哩！至于和那有些人不

曾得到自己的愛情的認識，以及視戀愛爲兒戲的人，那我總幸福得多了。」

他不禁在乾枯的兩頰上浮出了勝利般的苦笑。

一一，三〇。

兩種力

一件難解決的事情，又使他幾星期來想補全他的重創的酸心的念頭攪亂了；彷彿和平的河水又被無情的狂風平空地攪起很大的波浪；他的兩頰如火一般的灼熱，他的酸心也如浪一般的起伏。課也懶得去上，整日的坐在一張破舊的木椅上只是如癡了般的瞪着沉暗無光的兩眼注視着灰色的牆壁，彷彿他這疑難的事情，可以在灰色的牆壁當中得着解決的方法一般。他是怎樣的難堪呵！他是怎樣的悲哀呵！

★ ★ ★ ★ ★ ★

前星期三下午他上好日文課在自修室中閒坐着吸煙。他望着隔岸葱怱的田野，微風過處，小草都形成波浪般的一起一伏的過去；河水本來是很溫靜安謐的，可是被夕陽反照着也閃爍得彷彿有千萬條金蛇在那裏嬉戲，有時一只船搖過，在後面劃出一道黃金色的

很可愛的光明的路來，但不久又被千萬條金蛇滾過去捲沒了；不覺一月來所受的苦痛和悲哀都融化在這美景裏，若無其事一般，而且更引他起的愉快和將來輝煌的前途的希望來。他差不多什麼都忘却了，只是凝神的注視着這閃爍不定的江水，作起他幸福的幻夢來了。突然校役粗魯的叫聲打斷了他的美妙的幻夢，他仔細一聽，才聽清了校役所叫的是自己，便立起身來跑出去問什麼事情。校役回答說：『有人在看你。』『討厭，什麼人來看我？』他想了一想，覺得很不高興，不願意出去，似的站在門外一些也不動，彷彿他仍在追續着他的幻夢。那時便跑進來一個穿短衣的十一二歲的孩子向校役問『這是不是領含先生？』『是。』』校役說後，這小孩子便跑到他的面前說：

『領含先生，我是成裕木行的學徒，老板請你去，因為先生的家裏有一個人差來要向你說話。』

『什麼人？什麼事情？』他不覺嚇了一跳。

『不曉得。』他便急忙的向告假處告了假跟隨着那個小孩出去了。他在路上心臟顫跳得非常利害，他想起了前幾年祖母生病的事情，不覺兩只腿子好像軟了一般。

那是前三年的事情，他只有十七歲。有一天，他正在上課的時候，校役很急忙的跑到教室外來叫他，說：有很緊要的電話要他去接。他向教員說了一聲跑到電話室去聽；原來是伯父打給他的，說他的祖母病很重，要他立刻囘到鄉下去。他那時眞個把膽都嚇碎了；因爲他是一個沒有父母的孤兒，家裏除了一個十二歲的兄弟外，只有他這個唯一的親愛的祖母，現在一有不好，他將怎樣辦呢？他一面悲傷的嗚咽着流淚，一面又着急的整理隨身要帶去的東西，他幾乎要大聲的哭出來了。他很淸楚的記得囘去的航船裏的一夜，他整整的啼泣了一夜呢！後來僥倖他的祖母病好了，他才放心囘來讀書。可是從這一囘事後，他在校裏每逢有電話有快信以及有人來叫他的時候，他總要面孔急得如病人般的蒼白，心頭必必的跳個不住；『祖母，又病了嗎？』有時他的眼淚竟會如瀑布般的瀉了下來。這次那個小孩來

叫他說家裏有人差來要向他話說，那得不使他心驚肉跳呢！他問這小孩那個人形貌怎麼樣？看起來有多少年紀？可是小孩的回答，越使他着急得利害，什麼戴眼鏡的，身材比平常人要來得高，穿長衫的，什麼看起來，大約四十餘歲的樣子，頭上白髮很多……他搜遍了肚腸，竟回想不出他村裏有這樣一個人來。『倘使這人是家裏差來的，那末為什麼自己的木行裏或者伯伯的家裏不去，要到成裕木行裏來？難道這人和我們木行裏的人不對嗎！然而這不會的，祖母會差和我們木行裏的人不對的人來嗎？一定不會的，那末為什麼要到成裕木行裏來叫我？對啦，成裕木行的老板是我們同村人，大約差來的人因有事情到他那邊去，也未可知。但是祖母總不會生病吧，生了病呢？——』他想到這裏全身寒慄起來了，彷彿冷水在澆着他的背。

他走到了成裕木行的門口，他的身體顫抖得愈加利害了，倘使那時候有一架大鏡子在他的面前，他一定可以看得出他的面龐是怎樣的青得可怕，他站着，只是如石像般的站

着，彷彿他背後有一個人在拚命的拉住他一般。「進去呢？不進去呢？」的確，那時在他的面前顯現着一個深不可測的山澗，上面擱着一條極狹小的木板，下面隱隱的有急水撞着岩石的聲響可以聽見走過去？這麼一條狹小的木板，一不留心，掉落下去就要摔個肉閘；不走過去？又沒有一條別的平坦的路途；他只是站在門外看着這小孩進去的後影猶豫彷徨！

『領舍，進來，站着什麼？』他的同鄉——成裕木行的老板——四十歲的樣子，彎着背捧着水煙管笑嘻嘻的走出來。

『唔！廷叔，祖母差來的是什麼人？為了什麼事？』他費了很大的力量跨進了門沿，不覺全身捏了一把汗，兩只灰色的眼睛也不由的向四周搜視，『差來的人在那裏？到底什麼事？』

『領舍，為什麼這樣心急，且到裏面坐一坐再說。』

『到底差來的人有什麼要緊話？』他跟着這老板走進了一間狹小的光線很暗的房子，靠左邊安置一張寫字台，擺着過帳簿流水簿筆硯印色管等物；一張矮小狹長的木錢櫃就

當作凳子；靠右邊擺着一架假鐵床；鋪着兩條假歐綢的薄棉被；他們就坐在這架牀的牀沿上。

『廷叔，怎麼樣，差來的人呢？』他着急的問。

『沒有的，我叫你來是為了別一種事情，怕你不來，所以用這法子來叫你；怎麼你急得這般模樣兒：學校裏還有課嗎？』廷叔又是笑嘻嘻的在床邊一條凳上擺了水煙管緩緩的說。

『哦！……』他深深的換了一口氣；『原來是沒有的。』他彷彿卸下了一件重担，覺得身子輕鬆了許多，『學校裏的功課是沒有了，你有什麼話要和我講？』

『領含，我問你，』廷叔開始說了。『你的婚姻問題解決了沒有？』

他覺得奇怪起來了，為什麼無緣無故的提起我的婚姻問題來。他從前不是說過嗎？我平生不給人做媒；他是受過中等教育的人，怎麼也會做起這種舊式的媒人來了？

『沒有。但是你不是說過嗎?廷叔你平生不給人家做媒。』他很冷淡的回答他。

『是說過。現在我不是給你做媒人,做媒的是另外一個人。不過這個做媒的,是我好朋友,他叫我先向你問問意見看。領舍,你對于婚姻問題的意見怎麼樣?你的年紀也不算小了吧?』

他本來對於這種問題是很討厭不過的。所以每逢假期他回家的時候,有人來給他做媒,他總是拒絕不理。而且說不好,還要給他罵一頓。因了這樣子,近一年來給他做媒的似乎比較少些了。祖母是最鍾愛他不過的,見了這樣子,也只有『唉』的嘆一聲罷了。但是他在拒絕或搶白了媒人一頓後,同時想起家中零落的景況和祖母的誠懇的親愛的勸誡;也是常常使他痛苦下淚的。而他在家中也始終沒有把他的態度表明過。——雖然他的祖母常是探問他。

今天這木行老板居然要他談他對於自己婚姻問題的意見了;這把他難倒了。其實,倘

使那時候換了一個別的人來和他談這樣的話，他老早就呸的一聲拔脚跑了，可是現在站在他面前的是他同村人，而且還是叔父——遠房的叔父——『這怎麼辦呢？』他想了一想說：

『廷叔，我對於我自己婚姻問題沒有什麼意見，不過我現在正在求學的時代，總想把婚姻問題遲緩一些吧了。』

『不差，你的意思很對。你今年幾歲？』廷叔微笑的注視着他的面龐問。

『二十歲。』

『說起年歲倒也不少了。現在先把我這個女子來講一講吧，因爲她的家世我也曉得些了——那女子眞好！』

『……』他想阻止他，可是講不出阻止他的話來。

『她是S鎭的人，家裏很有些產業；她的父親叫做理生，在S鎭裏開有一爿廣貨鋪，店

名叫做東豐；每逢S鎭開什麼會的時候，她的父親倒也有幾句話成分。她的容貌很好，在S鎭裏可算是數一數二的人物；雖然她的程度只有在初等小學畢業，可是她的一筆淸秀的字跡，誰也會料她是中學程度呢。如你不信的話，馬上可以去帶幾張來給你看。年紀比你小兩歲，我想倒也沒有什麼；因爲女人的容貌是很容易衰老，而少年夫妻的愛情，雖不能說是完全拿容貌作標準；可是容貌在愛情裏面至少總也佔個位置；一等到女人容貌衰老，男人對待女人愛情方面總不免隨之冷淡；所以我說她比你少二歲剛好。說句笑話，眞是我們要替你們保持着永久的愛情哩！領含你的意思怎樣？』廷叔說了後，脚踏着地板靜待他的回答。

他靜靜的聽着這一大篇的話，而且牽及了生理的心理的話後，雖然比平常一般做媒的人說得動聽，但是心中總覺得好笑；便縐了縐眉頭說：

『我沒有什麼意思。總而言之，因爲現在正在求學的時候，如果娶了妻，是很討厭的。』

『領舍，我也懂得你的意思，大概你結婚是主張自由戀愛的。我想，自由戀愛雖然比舊式婚姻來得好，但能夠懂得戀愛的眞義者有幾個？你看現在一般人的自由戀愛不是今天結婚明天離婚嗎？眞鬧笑話！依我的意思，領舍，你還是這樣確定吧。如其你要她讀書的話，那盡可以商量，或許她自己也很願意哩。這個不算難事。你說現在正在求學的時候，婚姻儘可以遲緩一些；那固然不錯，就是我也很贊成。但是從你的環境上看來，你現在一定非結婚不可。你家裏除了一個弱弟外，只有一個祖母，她從你的父母死後，料理家事，恐怕沒有一日安閑的快樂過呢！現在她正想——記得去年我歸家的時候，你的祖母對我說起過——替你娶了妻後，從此可以享福，來收獲她從前爲你們勞苦的代價；而你偏偏不聽從她的意思，她是在何等悲傷呵！假使她還能夠活到十年的話，那你遲緩幾年到也沒有什麼；如其你的祖母不幸而……你的家裏將成一個怎樣的狀態？你對得住你的祖母嗎？你對得住你的父母嗎？而且你更有一個弱小的弟弟在着呢！領舍，並非我說頑固話，實在你的地位和別人不同

呵，領含，怎麼樣？』廷叔說了捧着水煙管咕嚕咕嚕的抽了起來。

『是的，老祖母實在太苦了。她自我八歲沒有父母後很親愛的養育我和弟弟，而且還要管理繁雜的家事，我應該……但是——』他一陣心酸不覺眼淚幾乎要奪眶而出了。他彷彿看見他的祖母站在他的面前在斥責他；又彷彿看見他的祖母站在他的面前用了一雙深深凹進的包滿着苦淚的老眼望着他要他答應的樣子；若不是廷叔在他的身邊他老早就痛痛快快的哭了。

『但是，但是什麼？』廷叔把水煙管又在床旁的凳子上一擺，顯着驚疑的眼光問他。

『但是我總想再遲緩幾年，不過給弟弟先娶了倒也好。一則可以安慰安慰我的祖母，一則也可以減輕減輕我的罪孽。——』他說了後明知這話是不對的，是要給他反對的；可是他除了這幾句話實在沒有別的話可說了；『我是一個新受着愛的重創的小鳥呵！』他暗暗地想着，不覺眼睛頓時罩上一重濃霧一般的模糊了。

「笑話！怎麼有這種大麥不割割小麥的道理呢？不但我個人要反對你這話；就是你的祖母伯叔以及一切的人恐怕也要反對你的話吧？領合，你爲什麼這樣老是講不通的？你到底是什麼意思？我相儘我和你講的這個女子是不會使你失望的。我可以鄭重的對你說：不但她人品好，字寫得好，而且很能幹處理一切家務哩！領合，你要知道，你的家裏正需要這女子來接手處理呵！領合，你仔細的想想再看吧！』他一方受着這樣誠懇眞摯的話，另一方他又撫摩着去年所受的創痕，眞的，他要跪在廷叔足下哭泣求饒了！

「廷叔，我何嘗不知道這些？我又何嘗不知道祖母爲了我遲延的婚事在傷心落淚？可是我——廷叔，我是人間的活屍了！我是再也不能來領受——或許不配——夫妻的愛情了！廷叔，你恕我吧！』但是他怎有這種勇氣呢？

『廷叔你的話聽懂了，再停幾天，我來回覆你吧。』他勉強的說了這幾句簡單的話就出來了。

『唉！怎麼辦呢！怎麼辦呢？』新愁舊恨併在一起，他的心如刀割着般的快要碎了。

他走到校裏，晚飯已吃過了；可是他也不想吃什麼。他的腦中只是纏繞着『怎麼辦呢，怎麼辦呢？』的紊亂思想，使得他發昏得要死。『管他！』最後他便決定到床上去睡，或許睡魔能夠可憐他引他從現實的世界當中到烏何有鄉去休息一下子。于是他放下帳子閉起他的眼睛鄭重其事般的睡下去。『不准想別的事，安安的睡去。』然而他這樣想了後，愈是要接近睡魔，睡魔却偏偏遠離了他，而陣陣的往事隨了廷叔所講的話更如電影般的一幕一幕……無窮盡的很起勁的在他腦中演着了。

他想起他的傴僂龍鐘的老祖母來了：

唉！祖母是怎樣愛我呵！是怎樣的在希望我呵？在我父母死後將來仍振作家業不至零落渙散。可是我又處處違逆她的苦心，又是怎樣在悲傷呵！『兒呵！你不為我設想，你也應該替你的零落的家庭設想呵！你要曉得，我已是風燭殘年的人了，是早上不得知晚上的人了，

倘使我一有……你的弟弟又小，你自己又不曉得家裏的事情，你的家庭將要成一種怎樣的狀態呢？……你的叔叔，雖然是嫡親的叔叔，可是他的心腸要比什麼人還惡毒呢！唉！兒呵：我又不是在做千年的人，一有……你的家……你的弟弟……況且天下那有不娶妻的人？我也曉得你是要一個讀書的女子，可是這種女子不能做家事的多，而現在你的家裏正需要能做能料理的人呢！兒呵！你聽我話吧！某地也有個女子來講過，某地也有個女子來說過，你到底怎樣？如其你要去看的，那我就可差人陪你去看。兒呵！你不爲我設想，你也應該爲你死去的父母和這樣零落的家庭設想呵！……兒呵！到底怎樣呢？……」這樣的話，差不多每逢回家時，祖母總要噙着老淚顫抖着聲音對他說的。而他呢，聽了這話後，也往往使他每日暗地裏痛哭流淚的。尤其是在萬籟俱寂的深夜中聽到他破啞的嘆聲的時候，直使他這顆殘缺不全的酸心，敲得粉碎！他除了哭泣，還有什麼法子呢？

有一夜，冷峭的秋天的一夜。他從夜半醒來，聽見了窗外下着蕭蕭的雨聲。這雨聲敲着

後院的竹葉上便發出瑟瑟的悽涼的聲音來；他醒後聽着這悲慘的聲音思味着近日來祖母哭勸他的話，他的心中眞有一種說不出的痛苦。他想像着他的祖母如果死了，家裏將成怎樣的情景？他的嫡親的叔叔將來奪他的產業嗎？他們兩個孤苦的兄弟將流浪到異鄉爲乞丐嗎？日間沿着村莊討些殘羹稀飯來充飢餓，夜裏挾着破蓆亂草在野廟荒祠裏尋棲處；個個人都辱罵他們，都唾棄他們。他想到這裏，彷彿他已眞的變成丐乞了，眞的同弟弟宿在一個淒涼敗廢的野廟裏草堆中了，對着慘淡的明月想着他以前的身世和今日淪落的情形，不覺哇的一聲哭出來了。祖母聽着了哭聲，連忙披了衣提着一盞火油燈從樓梯上走下來，到了他的床前掀開帳子撫着他的頭說：『兒呵！這麼樣了？夢中見着了什麼嗎？』祖母，沒有什麼，不過在夢中看見了可怕的東西罷了。』他模糊的回答了幾句。『兒呵！好好的睡着吧！不要再胡思亂想；明天飯又要不吃了，聽見不？兒呀！』她說完嘆了一口氣，便提着油燈摸上去了，他聽着祖母一步一步的踏着樓梯的沉重的步聲，彷彿踏在他的心上一般。他恨不

得爬起來跪在祖母的面前，把傷心事訴說，來痛哭一場。

那時窗外陣陣的風聲吹得窗櫺格格的發響；他掀開帳子伸出了頭向窗外望了一望，但黑漆漆的一些也看不出什麼來。于是他仍懶懶的倒下身子繼續他的回想：

四月前他的堂房的弟弟在城裏結婚，堂房伯父曾差人去請他的祖母來吃喜酒，祖母沒有來。其實他也曉得祖母是不會來的，決不會來吃比自己孫兒年歲小的喜酒的。後來聽見差去的人回來背地裏對伯父說：『領舍的祖母聽了你叫她來吃喜酒的話，雖然勉強在說她年老。路上受不起勞頓，可是她的眼淚已像潮般的湧下去來了；竟在床上臥了兩天才起來。』這刺人的使人悲痛欲絕的話吹入了他的耳他的心，他幾乎連氣也不能喘了；彷彿大地在旋轉一般，終于頹然的倒在椅上。然而奇怪，那時他的眼淚一點也流不下來，好像已經涸了一般。雖現在他面前的；只是一片白茫茫的大海，亮晃晃的一把利刃，在唱着死之謌歌！那時倘使他不轉想『祖母，我要死；但是我死了我又怎忍你——怎忍你爲你的親愛的

孫兒死了後更使你悲痛哀傷呢！』他老早已經自殺了！

他在牀上轉了一轉身子，兩行酸淚便迅速的從他的眼睛流下，濕了薄枕一大塊，他不禁緊握了雙拳向身上狠命的敲了兩拳；『你這想不通的魔鬼！你拒絕娶妻，你忍心使你祖母悲痛嗎？你忍心使你年逾七十的祖母受苦嗎？你這惡魔，你這狠命鬼，你難道還留戀着她的視戀愛爲賣淫的情愛嗎？她是走了！她是從你的懷中逃到別人的懷裏去了！你還留戀她什麼？你還追想什麼？你難道爲了她便終身不娶了嗎？你難道爲了她便犧牲了你的祖母的愛而不顧嗎？你要曉得在這詭詐百出齷齪不堪的人間，只有祖母的愛，才是神聖的，才是純潔的，才是不滅的，才是值得你永遠崇拜的；什麼愛人，什麼愛情，她們全是凶惡猙獰的魔王呵！她們的象牙似的白齒，圓球似的黑睛，其實都隱藏着殺人的光芒呵！惡意的撫摩，虛僞的接吻；她們狂吸着你晚霞般的熱血，針刺着你太陽般的赤心。等到你的熱血完了，赤心碎了，她們才毫不遲疑地露着猙笑唱着凱歌欣然的如棄草芥般的離你而遠去了！如其你還想

追蹤她們時，她們早已佈下了重重的悲哀的鐵網了！唉！你這狠命鬼，你還想追蹤她們嗎？歸去，快歸去，跪到你的祖母膝下，懺悔你從前的罪孽，聽從你的祖母的話去結婚，來安慰她十餘年來為你們所受的苦楚悲痛吧？人生是什麼？一進了墳墓，便誰也不記得你昔日榮華和失意了！唉！結婚去結婚去！』他這樣狠狠的自言自語說了後，覺得心中的悲絲給他理清了不少，好像已經決定去結婚一般。可是這種自覺的位置在他的心中只有一剎那的存留呵。說不定一分一秒，他便會如影子般的漸漸消滅下去，以至沒有；正彷彿有些學生們在學校裏每天喊用功，結果只是每天遊逛遊逛而已。他怎能不想及她呢？他怎能不由婚姻祖母等等聯想到她而流淚呢？圓黑的眼睛，血紅的唇兒，豐腴的圓腰，輭綿的素手……已是這般使人留戀醉慕，更何況他和她曾有半年多的甜蜜的戀史和深深的銷魂的接吻擁抱？

『唉！寃孽！』他嘆了一口氣便神遊到他和她怎樣會面怎樣接吻以至失戀等等的境界了。

她是他堂姊亞仙的朋友。是去年暑假時吧，他因爲有事沒有到鄉下去，住在城裏伯伯的家裏。於是事情就這樣發生了。

[illegible]有一天很悶熱的一天下午。天井裏幾盆鳳仙花，都曬得萎頭萎腦如乾了一般，家裏一只矮小的外國種來虎狗，也熱得臥在地上拖着舌頭在喘氣。那時他因爲友人新近寄來一本小說，也不管天氣怎樣熱，在寢室中俯着頭凝神的看。突然他聽見了背後格格的笑聲，回轉頭來一看，是亞仙姊和一個不認識的女子站在寢室門外手帕按着嘴在笑個不住；他便紅了臉用手帕揩了一揩額上的汗，立起身來招呼她們。

『領弟，你看什麼書，這樣出神得連我們站在門外也不知道，我們看着你背上翻滾着汗珠，咊頭一上一下的擺搖，眞把我們肚子也笑得痛了。』亞姊側着頭對他笑着說。

他本是不會說話的，尤其是碰着女子的時候，有時說話竟會口吃起來。這次他的亞姊對着一個不認識的女子，說起半譏笑的話來，更使他跼促不安了。

『我因爲剛接到友人寄來的一本小說，所以哦⋯⋯所以在翻閱，竟⋯⋯竟不曉得你們，站在我的門外，原諒⋯⋯原諒！』

她們又格格的笑了。

『哦！是小說！怪不得你這般聚精會神地看了。領弟現在我替你介紹，這位是密司胡逍華，是我的同學——密司胡，這就是我常和你說的領含弟，小說做得很好哩！』亞姊介紹畢便拉她坐在一張籐椅上，她紅了兩頰向他點了點頭。那時他竟不知怎樣才好，面龐如火在燒般的灼熱，豆大的汗珠也不覺從他的額上直流下來，他用手帕揩了一揩汗，盡力的壯起胆子向她也點了點頭；他們的眼光如閃電般的遇着了，但又很迅速的各都垂下了頭看着地板。

這不能不使他驚奇了。他不曉得世上竟有這樣的美人，混混沌沌的，他好像覺得身子在東飄西蕩，把個不住，是人間？是天上？鵝蛋形的雪白的面龐，初春的桃花色的鮮嫩的兩頰，

具着一雙弧形的明媚的秋波，掛着晶瑩的朝露般的笑窩；象牙般的鼻子，曲線美的紅唇，嵌着兩列整齊的潔白的貝齒；額上覆着美意橫飛的蓬鬆黑髮；豐腴停勻的肉體，適中的婀娜的身材，穿着一件飄飄欲仙般的桃色的玻璃色的衣服和同樣的綠的很短的裙子；黑色的眞絲襪，顯着白色柔潤的肌肉，配着一雙高跟的白皮鞋；這些這些他幾乎不相信自己的眼睛了！醉迷迷的如飲了甜蜜的葡萄酒，懶洋洋的如躺在很暖適的鵝毛床，啊！是怎樣一個無上的富有生趣的樂境呵！他不能瞪着眼注視她，他的一雙俗眼是太卑賤了！他不能張着嘴對她說話！他的粗魯的話是太淺陋了！他不願有誰來破了這深意的靜寂的空氣，他只願—或許永遠—在這樣靜寂的空氣裏呼吸。

『領弟，你們怎麼一句話也不講。這樣悶坐着，令人感到沒趣。』亞姊打破了這靜寂的空氣說。

『沒有話可講，亞姊，還是你講吧！』他說了覺得非常吃力般的，心裏更是突突的跳個

不住。

『那末不客氣，我先講了，今天天氣眞熱呀，你們覺得怎麼樣？』她的慣用的滑稽態度，老是使人發笑。她倚着亞姊的肩膀更是笑得像綠柳醉在溫和的春風裏般的搖擺。使他在笑當中更感覺到美麗的舒適的滿足了。

『領哥，你剛才看的是一本什麼小說！』她拿出一塊雪白絲巾拭了一拭紅唇和臉兒便從椅上立起來輕輕的走到他的案前來；嬌嫩的兩頰泛着一朵朵的紅暈；眞的是一朵玫瑰花—活像一朵美麗的玫瑰花飄到他的案前—拿起他的小說說。

『天呵！我是幾生修到這豔福，得着如天仙般的美人叫我領哥！』他魂兒彷彿飛出了他的軀殼一般，朦朦朧朧的又像置身在五里霧中。他想乘這機會講幾句親近話，可是他的嘴巴好像被人封閉着一般，任憑怎樣也講不出一句半句的親蜜話來。他看着她伸出了一只春筍般的白手來拿他剛才翻閱的一本小說，他恨不得把她那只嫩手一口吞下肚中去。

他從她寬大的袖口中望見了她白潤光豔的手臂，望見了她微黑的腋下，望見了她那裏面穿着的一件淡紅的背心，覆蓋着圓尖的突起的乳峯；一股甜的氣息，香的氣息，處女肉的氣息，直鑽入他的鼻孔裏，他的心中，眞是有一種說不出的快適呵！他又恨不得立起身來把她擁抱一下，接吻一下，才能安靜他顫抖的心房，才能平止他狂奔的熱血。

『是一本翻譯的俄國小說。』他移動了他的視綫望着她圓圓的如珠走盤的黑睛顫顫的說。

『頌哥，你研究文學嗎？你的桌上都滿擺着文學書哩。』她看了一看他桌上的書說。她的溫和清朗的聲音眞如清澈的泉水流過晶瑩的小石的聲響一般。

『不過我喜歡看這類書，但是——』

『密司胡，他對於文學很有研究哩！你也是喜歡文學的！我想你們以後可以通信共同討論研究了。』亞姊插入他的話笑說。

『共同討論研究』雖然這話是亞姊說的，但他彷彿得着了她的賜與一般了。而且他感到她的形體美之外！更感到她和他相同的文學嗜好而想到將來能夠得到她做他的永久的伴侶才好的想念來了。

『密司胡，你能允許我通信不?』的確，他講了這句話後，竟不相信他自己竟會這樣地冒昧對着一個剛剛認識的女子說這種話；他覺得他的心在猛烈地狂跳，彷彿要奪圍而出的樣子。而亞姊一陣格格的笑聲更使他面龐紅熱得愈加利害了。

『可…以…』在她漸漸低下頭時，他也彷彿覺着她的心和他在同時間內狂跳着，他差不多感激得要跪下去吻她的足了。在她說出了『可…以…』的和微雨打在玫瑰花般的輕輕的顫抖的聲音之後，他在怎樣榮幸呵！

後來她向他借了一本小說就走了。走的時候她還向他笑容滿面的點一點頭說聲再會。他望着她的背影他的心好像被帶去了一般。他是怎樣惆悵茫然呵！

這一個晚上雖然天氣那末樣悶熱蚊子，那末地嗡嗡的叫嚷着，可是他一些也不覺得煩擾討厭，而且於他的思想也一些也沒有什麼妨害。他只是想着她的臉兒，她的眼睛，她的紅唇，她的肉體；而且想着以後用怎樣的方法來進行他們的愛情？用怎樣的手段來使她傾心他？怎樣的計策來得她歡心？怎樣，怎樣……以致沉入於更深遠更渺茫的幻想中……

「唉！過去的已經過去了，還回想她作什麼？牠會歸回你昔日的快樂幸福嗎？不能——永遠不能！唉！去吧！回想我是再也受不起你的踐踏了！我是再也受不起你的蹂躪了！去吧回想！」他雖然要抑止他這種熱辣的回想，而回想儘管是這樣的緩慢的斷續不連的爬入他的腦中。

當然，那樣一來，他們通信了。這是青年的共通性。何況他曾經給她允許呢？起初他們很正氣的，寫的都是關於討論文學上的問題，後來等到了七月裏他們都進了學校後便轉移方向討論戀愛問題起來了，寫起各人的小史來了最後他就下總攻擊令，毫不客氣地向她

求愛了。當時他寫那封信的時候，心裏着實煩悶了不少日子。她接到了信後，還是憤怒，還是喜悅？還是拒絕，還是接受？如果接受那是不容說，他是上帝的驕子了；如果拒絕，那種絕望的悲哀，怎能担當得起呢？而且空平地又犧牲了幾月來的友誼。這樣的反來覆去的思想的確使他焦急煩燥得如火上的螞蟻一般。結果他是鼓起了十分的勇氣寄去了。而且她是接受了他的愛了！他全身都感到輕飄的歡樂，發瘋般的吻着她的來信，呼着她的名字。『她是我的了！她是我的了！』在他的眼前什麽東西都是快樂的有意義的，他是整個的浸溺在快樂之中了。

以後他們差不多每天要寫信。有時候他眞找不出什麽話來寫，也就寫些『天地可滅，我們的愛情是永遠存在的……海枯石爛，此情不滅，』這類肉麻的話來從事鋪張，甚至今天寫的信與昨天簡直毫沒兩樣。但是他一些兒也不厭倦，一些兒也不麻煩，只覺得對着一個如安祺兒般的姑娘寫信是應該這樣寫的。

他們的愛情格外增進了。

每逢星期日不是到公園裏去游逛，他們便是到他的伯父家裏同亞姊談笑，好像他們這一星期不會面，就會感到非常寂寞；而且一日不見，心裏也着實感到空虛，好像失却了一件東西一般。她覺得她是他的魂靈，他存在這世上是專爲她而存在的呵！他是一刻也不能離開她呵！

『唉！設使她現在還愛着我呵！』他回復了他的回想，正好像一朶鮮花被一陣突來暴風狂雨打落在汚泥裏一般。可是他仍不放鬆他的回想，因爲她現在雖遺棄了他，却還留着顯明的遺跡在他的荒涼的心田裏呵！

他記起了他最甜密的幽會來了。

那是一個秋末的黃昏時分，在M公園中呈現出一幅蕭瑟的荒涼的使人見了引起一種命運的悲感的景象來。滿園的葉子，都被秋風濃霜打得替作落花陣陣的翻飛，而且作成

如死般的池水裏的枯萍，和地上陳鋪着的黃氈。倘使有人踏過，便沙沙作響，發出一種很淒涼悲苦的被壓迫般的呻吟聲來。春夏時，牠們是怎樣的繁茂嫩綠可愛，到了現在——秋天，便這樣的先後落下，牠們的青春期是多短促！但是有誰趕得上去憐惜牠們這種神祕難揣的命運？垂死的樹枝，彼此很失望的對立着交叉着，再也不堪想到現在在寒風裏掙扎顫抖的枯體，就是春夏時候穿着美麗嫩葉的各自逞雄的形體了！什麼東西都像死般的，亭子，欄杆，石凳……孤另另的彷彿在各嘆自己的命運。那時他立在一個小小的亭子中見了這樣憂鬱的寂寞的景象，雖說是他的心在一種因期待的熱望而焦急的情形之下，也不免起了一種不可避免的自然的陶汰的傷感來了。

『她爲什麼到這時候還不來？她不是說四點鐘來嗎？現在已經四點五分了哩；是學校告假不准呢，還是有別的事情？』他看了一看手錶不由得心裏異常的焦急起來了。『她不來了嗎？然而她的信裏不是明明說一定來的嗎？』他在亭子裏一忽兒坐一忽立，竟不知怎

樣才好。兩只深沉的眼睛只是向着公園的大門望着，期望着有開門的聲響。

門開了，一叢蓬鬆的黑髮，長圓的臉兒，穿着一件淡灰嗶吱的上衣，黑色的短裙的影跑進他的眼簾中來。他一見便發瘋般的立刻跑到她的面前握着她的手問道：

『路上冷不？你來了，我眞說不出的高興呢！』

『你在這裏等了好久了吧？我因校裏有些事情，被幾個友人糾纏得要命，後來好容易脫身，到現在才來，你恨我吧？』她對他很親密的微笑的說。

『不，我怎麼會恨你呢？你看，時候也不過差了五分。』他拉上右手的袖子把手錶指給她看。

這時園裏一個人也沒有。他們手牽手的走進亭子裏並肩的坐下。她的蓬鬆的黑髮，被風拂到他的臉上，他感覺到一種軟癢的快感。同時也覺得他心房裏的血液開始用很大的速度向他頭部噴發上來。他把眼光向她投視，恰好她的眼光也正向他投視，如閃電般的接

觸了一下，他們的頭低下來了。在這時候他彷彿聽出了各人的心都在狂躍着是。異性的愛的顫抖嗎？是異性的情的接觸嗎？他不能忍耐了，一刻也不能忍耐了：

『密司胡，你……你愛……愛我……嗎？』他說了這話他已是失却了一切的知覺了，可是他狂躍的心房到反而平靜了。

突然她抬起頭來向他凝視了一回，把身子撲倒在他的懷裏面龐貼着他的胸膛說：『領哥，我愛你！我愛你！』他差不多感激得要流涕了。他俯下他的頭，兩人頰部互相挨接，唇兒互相湊合了。他們深深的吻着，緊緊的擁抱着，好像要「合而爲一」了。

他不知世上的一切了。一切的一切，除了他和她擁抱接吻呵，似乎什麼都不存在了。他靜靜的吸着從她身上裏發出來的甜蜜而又溫暖的芳香，撫摸着她光潤柔軟的黑髮，心中像有許多話要告訴她，可是一句也講不出來，他已是被幸福所陶醉了呵。

『我愛！你永遠的愛我不？』他輕輕的很慈愛的撫摸着她的黑髮說。

『領哥，我永遠愛你，像你愛我的心一樣，』她抬起頭來把一雙烏溜溜的眼睛緊瞅着他，顯出很果決的神氣在她嬌羞的面上。他狂吻她的黑髮，兩頰，鼻子，眼睛，擁抱得愈緊了。

『領哥，你的亞姊眞討厭，在學校裏老是說——』她止住了下面的話，低下頭，兩頰愈加紅得可愛了。

『說什麼？我愛？』

『…………』

『我愛！你說，她說什麼？她委屈了你嗎？』他像慈父撫愛子女般的搖動着她的身體，很溫和的說。

『她說我是——』

『什麼？』他又催着她。

『我是她的弟媳婦。』她講到弟媳婦三字便很快的把頭拚命的靠緊他的胸膛，兩手

也加緊的圍抱着他的腰像要鑽進他胸膛裏去一般。

他所希望的成功了，他快樂得有些飄飄然了。他俯下頭面貼着她的面問說：

『怎樣？我愛！你願意不？』

『領哥，我的心是你的，我還會不願意嗎？』

他們又緊緊的擁抱着了。

呼呼的狂風依舊在窗外很猛烈地吹着，好像要把房子吹去了一般。他睜大了眼睛，依舊發現着孤零零的一個人睡在牀裏追憶。

『唉！完了！完了』他深深的嘆了一口氣說。『誰料到那時這樣的親愛，現在竟會丟棄了我呢？我的幸福眞像在又長又舒適的春日中一樣，可是一刹那秋天便到了！唉她把我一生中的浪漫火吹滅了！她把我一生中的狂熱情消滅了！我的胸脯是永不會像那時般的燃燒了！在我心中的只是一塊陰森森的悲悽悽的黑暗的墓地！唉！她的影子吞嚙了我而且毫

不憐惜地消蝕了我蓬勃的一生了！』他想到這裏他的眼淚不覺如泉般的流下來了！

當今年三月間他戀着別人訂婚消息傳入他耳中時，他才瞭一個月內她不覆他的信和幾封寫得很冷淡的信的原因了。他那時幾更每天想自殺如癲瘋般的飯也不吃面也不洗，終日的不是站在靜寂的F江邊，便是站在陰森的S橋上。

『只要我的足稍爲動一動，便萬事都休了！』可是他這樣一想，他的可憐的親愛的祖母牽着弱小的幼弟便顯然的立在他的面前了。『兒呵！你自殺你應該想想你自殺後你的祖母你的弱弟將怎樣生活下去？』他便什麼勇氣都沒有了，什麼毅力都沒有了！

『我不應該自殺，爲了祖母弱弟，我應該努力向上地做一個人樣的人；更不要使親愛的祖母爲了我受着一些些的痛苦。唉！他是怎樣的親愛我呵！倘使我死了後她不是也要……』他總歸給祖母吸起他下沉的失望踉踉蹌蹌地歸來。

『蓮華，我至愛的蓮華！你雖是丟棄了我戀着別人，可是你的倩影深印在我的心中，將

永遠的留個很濃的色彩；而你戀着別人，也不過因此我的心中再加上一個景色吧了，我又爲什麼恨你呢？我又爲什麼你戀着別人就對于你變爲不眞實者呢？世上的一切，在我都是極微末極無意義的東西。我別無喜歡，使我喜歡的只有你，只有你美麗的臉兒，眼睛，唇兒，婀娜的身體。雖然以後我將爲你永遠的墜落在悲哀的深淵裏，可是爲了愛人，我心愛的人，我也是甘受了啊！蓮華！我愛你！我將永遠的愛着你！』

這個時候是這樣想，換了另一個時候他又想到了他的祖母。可憐的親愛的老祖母爲了他怎樣的痛苦，怎樣的悲傷，他便又恨不得立刻回去結婚，來安慰他老人家的苦心；如此又想到了蓮華去年是怎樣的用熱情來愛他，到而今變成了愛又不能恨又不能的狀態；如此又想到了在這世上只有一個人在眞眞的愛着他的老祖母；這二種都具有强大的力量牽制住他，就使他一天一天只向悲哀的深淵裏下沉——下沉。

★ ★ ★ ★ ★ ★

今天他接到了祖母一封信：

孫兒：

我非常喜歡，日前你的廷叔給你講的那頭婚事他已寫信告訴過我了。我已細細的着人去探聽過，都很好。幷且那個女子書也讀過幾年，又寫得一筆好字，正合孫兒的心願。這次你不要再延遲固執着不聽我的話了，孫兒，你看我今年已上了七十五的年歲。還有幾年在這世上做人呢？家裏我已安排一切結婚的日子準在下年。

祖母字

『怎麼辦呢，唉！……怎麼辦呢？……』他看了祖母的懇切的隱藏着無限痛苦的信，撫摩着他重創的酸心，他的兩行苦淚沿着枯瘦的兩頰落下來了……

十五年四月十一日作

「兩種力」重抄後附記

這篇小說是去年四月在甯波寫成的，現因白露要稿子，我便從一隻破舊的篋子裏檢出來改抄一遍。費了五夜的工夫，現在總算給我抄完了。

這篇小說的內容，不用隱諱，自然是我自己的事實。但際此淅瀝的秋雨和簫簫的秋風頻敲着窗子發出悽切的聲音底陰森寒冷的漫長的秋夜當中，重讀我這傷心的故事的時候，新痕間舊痕，一齊併上心來，畢竟我忍不住伏在案上痛哭了一頓。去年寫這篇小說時，可憐的祖母還不時的叫別人寫信來問我在校裏好不好，和身體要留心這類話來；然而此刻呵——此刻我重抄這篇小說時，那知可憐的祖母竟去棄了她的最疼愛的孫兒長逝了！什麼慈祥的面容，悲痛的勸誡，我是再也不能重見重聞了！不說什麼，只要我一想起她那用憂鬱而

沉痛的顫抖的話來勸我討娶親事，已足夠使我憐痛萬分了！親愛的祖母！知否——知否你的孤獨的流浪的孫兒在這秋風秋雨秋夜秋窗之下，反覆着往事而流淚悲哭！

是去年暑假中的事我因爲在甯波受了那次劇烈的刺激以後，——失戀——我是再也不願住下去了，而且也有些不敢住下去了。於是和祖母商量想到上海來讀書，一面固然想到上海來可以進一隻好的學校，但一面我是希望到上海來或者可以安定安定，我這苦悶的魂靈不至於走到極悲觀的路上去。祖母起初竭力的阻止，我後來因我堅執的要到上海來，她又沒有法子了，只說：『孫兒，你既然要去，我也不好來阻止你；可是孫兒呀，你要知道上海是比甯波要遠得多了，我現在已是到了風燭殘年的時候，倘使一有不好，孫兒呀！叫我怎麼等得到你來呢？』她說到這裏已掩着面嗚咽了。那時我聽了她話，好像身體倒在冰窖裏一般，不覺全身顫抖起來了，我很想在這時候哭訴我不得不來上海的理由，而且把我和她全篇的歷史都告訴給她聽；但是我竟說不出來，對了這個最親愛的我的唯一的祖母，我

總歸于很傷心的說了半句仍舊落到心中去了！我流淚，在心中流淚；我哭泣，在心中哭泣！

來了上海後，因了種種不如意的事情和窘於經濟的緣故，我的魂靈，總究不能安定起來，而且每次看見人家和女同學散步或談話時，總要使我想起了她；想起了她時，總不免又要走到寢室的牀裏暗暗的哭泣。有時想起了祖母時，這顆碎心想東想西更是跳個不住，好像眞的有什麽不幸的事情要發生一般。我苦悶，我煩惱，我悲哀；我究竟病到牀上吐了我從未吐過的幾口心底裏的鮮血。我那時一些不驚慌不傷心，看着這腥紅的鮮血，只希望他再吐，吐到連心也吐出來，省得再在這人世間受罪受苦。

病好了後，一個同鄉到我校裏來。說了些別的事情之後，他便談起我的祖母來；他說：『祖母前二星期曾患了一次劇烈的病症，差不多已不可醫治了，那時你的叔父母都想差人來叫你回家去，可是她老人家不允，她說：「我病不要緊的，不用去叫他，倘使去叫他來去的盤費起碼又需十來元錢，而且又要荒廢了他的學業！」』我聽了那位同鄉的話，面龐好像

有人給我剝倒去了一層一般，眼睛也模糊起來了，我忍不住我心的作痛，便竭力的睜大了眼睛截斷了他的話問：『那末現在怎麼樣了？』『現在是好些了，不過總不能說是完全痊愈。據醫生說是你的祖母太操作了，這樣大的年紀，應該安閒些才好。我出來前二天，到你的家裏去過。我問你的祖母我來上海有沒有信帶，她只說不要告訴你她病了，恐怕給你聽了又要担心，不能夠安定讀書。』『唉！』我嘆了一聲頹然的倒下似地背靠在椅背上，只覺得眼前一團一團的黑影到處飛舞，好像入了昏迷狀態之中；只覺得心裏無處可訴說的悲哀和苦痛，好像在這茫茫的世界中只有我一個哀傷的人兒在躑躅徘徊。等到了那位同鄉說「去了」一聲之後，我才從被什麼所壓迫般的當中併出了一句「唉…可…憐…的…祖…母」！掙立起身來送他到校外。

可憐的祖母！你偌大的年紀，眞該安閒的享福過日子，可是爲了我們的家庭還要勞心的管理操作，而做孫兒的一些也不給你安慰設想；在家時常是給你悲痛受氣，而做孫兒的

一些也不能體諒你聽你的話語唉！可憐的祖母，你終至病倒了！病倒了還要爲着孫兒要擔心不使他知道病倒了還要爲着孫兒要荒廢學業不叫他回去唉！可憐的祖母！悲痛的祖母！

這一夜就很痛苦的思索了一夜。

第二天就決定回家，橫豎差年假的日子不遠了，只有一個月光景。況且學校裏又不考試，便很勉强的做了幾篇自己應交的論文很匆忙的回家了。

到了家後，祖母已非離家時的祖母了。兩眼本來是深凹進的，現在越發像兩個很深的黑洞了。面龐差不多一些沒有肉了，只有一張黃紙色的很柔鬆的薄皮包裏着。兩邊顴骨突出更好像小山一般。朗的白髮也差不多脫落光了，如落葉般的鋪滿枕上。我坐在祖母牀上，見了這枯瘦無比的祖母，我已忍不住涔涔的落下淚來了。『祖母！孫兒來了！』我勉强的裝着笑顏說。祖母突然看見我回來，初則驚疑，繼呈現着快樂的笑容，後則灰色的面網又籠罩了她面上。『翰你來了！學校沒有放假吧？』她深洞般的眼睛充滿着盈盈的熱淚，伸出左手

來握住我的右手。『翰你瘦了些呢！太用功了吧？』我俯倒身子看着摸着祖母的手，彷彿乾枯了一般，硬磷磷的如觸着幾根枯柴。『祖母！放年假了，我在學校裏很適意，幷不怎樣用功。——你現在身體好些了吧？』我說了後好像有一種不能抵抗的悲哀襲上我身來，我終於把頭枕在祖母手上嗚咽起來了。『孫兒，你哭什麼？我……聽了心裏難……過……』我聽着祖母顫抖啜泣的聲音我更忍不住——索性大哭了：好像幾年來心中積蓄着的悲哀要借牠拭去了一般。『孫兒，我病已經好了，你還哭着什麼？』祖母用手撫摩着我的頭很親愛的低低的說。我明知祖母是在勉强的慰着我，也不得不止住了哭聲；但越是這等無聲之語，使我氣噎喉塞，更覺傷心。我聽了心中雖然有千萬句話語要說，只是不能說出來；等了許多時候我才抬起頭來把話語掉了個方向，抽抽噎噎的說道：『祖母！弟弟到那裏去了？』但見了淚痕滿面的祖母，我又低下頭來了。『因我想吃水菓，弟弟今天很早的就到溪口鎮去買去了，大約再停一歇就可回來了。』

祖母從我回家後，她的病漸漸的好起來了，在室中也會緩慢的行走了。我的心也寬鬆了不少。祖母是很節儉清苦的，差不多她的一生沒有一錢忘用過，也沒有一次在家裏想買些好的小菜很適意的吃過；所以她病後我在街上買了肉魚回來，她就要說：『去買什麼，很貴的吧？』她總讓給我們吃。有時我往往買了魚來騙着她說：『祖母！這尾魚只有十個銅子，眞便宜。』她於是吃了。

到了今年正月裏，她的病完全痊愈了。我也因開學的日期已到，便想早些出來。祖母因家裏拿不出錢來，叫我在家裏住半年再說。我呢，在家裏實在感到太寂寞，而且因了一些瑣事，常常很痛苦的聯想到一切。總之，關於這零落的家庭，我簡直無法可想。雖然出來也是度着煩惱的日子，但莫知所以的總想出來。那曉得這次出來祖母仍病了而至於死呢！此時想來，眞恨不得聽祖母的話住在家裏，也可以伏侍伏侍她的病中的軀體，雖然我不能挽回祖母的死；但假如我在祖母身邊，她總要快活萬分了！唉！可憐的祖母！最後一次的話語，做孫兒

的總不能聽從你，可憐的祖母！你是何等苦命呵！

我出來那天前一夜，祖母對我談了許多話，她告訴我何處是我們的田地，何處是我們的竹山樹山，每年有多少收入，什麼人那裏欠了多少債，什麼人那裏欠我們多少錢，一一的叫我抄在一本黃草簿上，她說：『孫兒！我自己曉得我是做不來幾年的人了，倘使我一有不好，你就可照這本簿子去收去付。孫兒，雖然你是讀書的，但這種事你也應該留心才是。你的弟弟年紀又少，比不來別人家有父母般的可以不管。至於你的婚事，我也不來管你了，隨你自己的意好了。總之我是命苦，這種福氣沒有，不能眼見得你孫媳婦進來為我伏侍——伏侍了過這短短的歲月。記得我去年病重時，有許多人來看望我都說：「你是老昏了。為什麼這樣大的孫兒不給他討孫媳婦？雖然你的孫兒不喜歡，你也應該自己來做主。你的孫兒的話聽得來嗎？譬如你百年之後，沒有一個孫媳婦為你送終，總有些說不過去。」我聽了固然很痛的觸動了我的心情，但我有什麼法子呢？我只說我給你討老婆，恐怕將來要害你，如果

你和妻不對的話。孫兒，究竟怎麼樣？你也應該打定自己的主意才好。』

我聽了祖母這一大篇傷心的好像預知要訣別般的話，我簡直說不出話來了；彷彿喉兒給什麼東西塞住了一般。我想大聲的哭出來，但是我的悲哀沒有像那哭般的簡單；我想跪在祖母足下告訴她我失戀的苦痛，但是這苦痛也決不會一跪告訴就會消滅得烏有；我的心眞像被刀割般的疼痛，我不說一句話，只低着頭抽噎。

『孫兒！你帶了這些微的錢，怎麼能進得學校？你向朋友去借嗎？』我覺得祖母的眼光在注視着我等我的回答。『是』。我微微的應了一聲。

『你出去冷熱要當心。不要如去年暑假時般的任情的喝酒，惹得病了一場。孫兒！你聽見嗎？凡事要當心。現在可以睡了，明天要早些起來。夜裏安靜些，不要胡思亂想。』她說了每年離別時的囑咐話出去了。畢竟祖母具有這人間最慈愛的心腸，對於她孫兒離別後的情景，是怎樣的擔心呵！我看着她的後影消失後，不禁又流下淚來了。

可憐的祖母這些這些——現在，你的孫兒再到何處能聽到你這樣慈愛的話呢！

來上海後，這些錢當然不能進學校的，便到朋友老汪老蒯那邊去商量，可是他們還沒有來校。等了一星期再去看他們仍沒有來；寫信到他們家裏去，又沒有回信，別的地方又沒處去借，最後只好租了一間亭子間自己來讀書，為了經濟關係買了幾只鍋子自己來做飯，有時因做飯很討厭，便買了幾個很小的淡饅頭來充飢，小菜也懶得做，簡直像乞丐一樣了。有時做了一篇稿子賣到錢的時候，便很痛快的一個人到酒館裏去狂喝一回：吃得酩酊歸來倒在床上便狂歌痛哭了一頓。因此精神日漸頹廢下去而且身體也逐漸消瘦虛弱了。很清楚的記得，這樣的生活過了一個多月，很不幸的事情便發生了！一生最悲痛的事情便發生了！

是二月十六日下午三點鐘，我獨自坐在室內看一本俠隱記，樓下姓張的朋友叫我說有一封快信剛剛送到。我聽見「有一封快信」幾字，我拋了「俠隱記」我的心不覺突突

的跳起來了，老汪老蒯寄錢來吧？說不定，但那一剎間後我想起我的祖母，我的心不知爲什麼便愈加劇烈的跳動了；祖母不會有什麼意外事吧？我的面龐同時也如發燒了一般了。我急急的跑下樓去從姓張的朋友手裏把信拿過來一看，信封上寫着「嚴溪家寄」幾個字。我注視着信封我的手不禁很利害的顫抖起來了，怎麼樣？祖母又病了吧？全身彷彿軟攤了一般，若不是我把背倚在壁上，眞個如竹竿般的要倒下來了。我慢慢的倚着樓梯的欄杆一步一步的走進自己的室中把顫抖的手拆開了信封，裏面寫着很簡單的幾句話；「前寄上三封信，你收到否？你的祖母已病得快死了，怎麼到這時候還不回來？收到這封信後速即動身來家爲要。叔父字。」彷彿大地旋轉一般，我的眼睛頓時什麼東西都看不見了。我頹然的把身體倒在牀上。喉兒覺得好像有一種血腥氣的東西黏着。那時我神志還淸知道又是血來了，好久彎起身子才把他一口吐了出來。唉……可憐…的…祖…母…呀…我如病人般的輕輕的喊了一聲，我的心便霎時間如被刀切着般的片片的碎了。我看着地板上一堆的

鮮血，好像活虫般的在我眼前一來一往的跳躍着。我已無思慮悲哀的餘地了。我是墜入在最苦痛的深淵而不自知了。那時張君到我的亭子間來，見了我這種如痴如獃的情狀，他便在桌上拿起信來一看知道什麼事情，他便對我說：『舍戈你還發呆作什麼？趕緊回家去，今天是星期六，倘使今天不去，明天星期日船是沒有的，須等到後天可去。』他的話提醒了癡獃的我，我才從昏醒中醒轉過來，同時我的淚也在眼眶中如潮般的湧出來了。我更感到我是一文錢也沒有的人了。『張君！我回家的盤費還沒有了呢！』我拭着淚嗚咽的說：『那末我的地方拿五元去好了。』他跑下樓去拿來五元錢給我。我那時拿着他五元錢，我從我的極痛苦中覺着他友誼的愛，我格外的流着淚了。『張君！謝謝你。我去後再要到上海來，大概總要一二個月後，行李等望給我保存。房金也千萬給我算好回頭他。將來來上海時，定當如數還給你。』『那末你應該去了，再遲恐那船要開了哩！這裏的行李我給你整理好了。望你此去，祝你祖母病好！』我那時眞感謝他得五體投地，要想說句感謝的話，任你怎樣也說不出

來，我又覺着喉兒癢癢的好像有蟲似的東西爬着，我便又吐了一口鮮血。很急忙的把自己隨身穿的衣服一包，便搭着黃包車走了。『含戈，再會！到了家後寫一封信來。自己身體保重！』我在車上聽見了張君的話，在我極度的悲哀當中感到只有他是我的同情者了。

上了船後統艙的位子是早已沒有了，只得破例的趁了房艙。心中本是積着千萬的哀緒，兼之人聲的嘈雜，頻送入我的耳鼓裏來，直使我頭痛欲裂。恨不得腋下生了翅膀立刻飛到祖母身邊去傷心的哭泣一番才好。船雖是開行了，但我總嫌他慢極了。倘使我到了家裏，祖母已死了怎麼辦？呵！連最後一次的臉面也不能看到，連最後一次的聲音也不能聽見：：唉：：倘使祖母死了，我這零落的家庭將成一種怎樣的狀態？弟弟年紀又小，雖然家裏的事情比我懂得了許多，但總歸對於人情世故以及處理各種事情的手段，有些不大明瞭，而況虎視耽耽的叔父母無日不想攫取我們的產業？弱小的弟弟，和這什麼事情不懂的怯弱的我，能夠抵抗他奸詐矯智的萬一嗎？要我住在家裏。不說什麼，處處顯着沉悶的滿佈着忠實

之虛僞誑謀的故鄉，我能夠住得下一日嗎？要弟弟住在家裏。他去年年假裏不是對我已說過了嗎？明年出外學生意。雖然比我能幹得多，但住着總也沒用。那末家裏將怎麼樣呢？尋一個忠實些的人託給他管理嗎？叔父不會干涉嗎？索性託給他嗎？不怕他從中攫取嗎？……這些這些，在這四周滿發着沉沉的鼾聲和船衝擊着波浪的聲音的長夜當中，我隨着船的掀翻痛思及此，不堪——何以堪！

船到甯波，因鎮海關的檢查，已是九點鐘了。等我匆忙的搭了人力車去趨小輪船，已是老早的開去了。我那時的悲痛已全被焦急蓋住了，便連忙改趁快舠。在款乃款乃緩慢的櫓聲之間，心的跳動的焦急，任你怎樣也按捺不住。我望看白雲悠悠的蒼天，怎的我的命運會這般的舛錯奇離？我向他流淚哭泣；我又恨不得他使陣狂風如童話裏般的立刻會吹到我的故鄉——故鄉的可憐的祖母身旁！我是被悲哀焦急攪和得昏昏然了！唉命運！運命！

到了江口棄船登岸。已是三點多鐘了，離家鄉還有七十餘里。想討轎沒有，想在那邊宿，

又恐祖母一有不好，她的音容是再也不能得見了。於是我便買了一雙草鞋，一盞燈籠，把長衫脫了如包袱般的縛在背上緊着脚步走了。起初我走得很快，好像有一種力推着我一般。但走了三十多里光景，我的兩脚已微微的酸痛了。天也漸漸的黑暗下來，遠遠的村落上也縷縷的飄散着炊煙了。在四周一種蒼黃的暮色，好像一個修道院裏的嚴肅的尼姑在飄蕩着一般。『你的祖母快死了呢。』我的心充滿着憂悶的預感，逼得我一口氣又跑下了十里。兩只脚趾已被草鞋軋得劇烈的作痛了，腿也不覺酸了起來，好像有一種東西拉住了一樣。我想坐，又不能坐；我想住，又不敢住。關不住的只有淚向渺茫的空中灑。天已完全黑了，只有幾點疏星在天之邊際閃耀；山峯樹木都彷彿猙獰的魔鬼般的一動也不動地矗立着。一陣風來，吹得樹葉小草瑟瑟地作響，宛如棄婦在哀泣一般。一種陰森的嚴冷的恐懼的空氣包裹着我的全身，不覺打了幾個寒噤。我於是提起了精神，壯一壯膽量，點着了燈籠重復忍着疼痛急走。

『祖…母…好…了吧…還…是…』走到了家鄉的一座石橋上，我又預感到我好像已不能會看見活着的祖母了，悲哀的生活狀態在家裏等候着。不禁全身如浸入冷水般的猛烈的顫抖起來了，兩條腿也同時軟了下來。正如同囚犯要上斷頭台一樣，恐懼喪氣走完了一條寂無人影的街道，到了自己的家門外，一顆心簡直是要跳出來了。我倚着門細聽着裏面有沒有什麼聲音，可是沉寂得如深寺般的一些也沒有聲音。我握了門環又放下，也不知多少次了。『唉！算了！進去吧！』最後我鼓起了十分的勇氣用顫抖着的右手把門環輕輕的敲了幾下，我的腦袋沸騰了，血液也波動起來。

『誰？』我聽見了裏面開門的聲響了。『我！』一顆心又很利害的跳動了。『誰？』聲音很大，我聽出了是叔母的聲音了。『叔…母！我…我來…來…了！…』我說了這顫抖得幾乎聽不出的話，我已是哭着了！

『輸！你來了？』叔母開了門說：『怎麼這般遲呢？』

『祖母怎…怎麼樣…了?』我嗚咽着問。『還好。』叔母很悽慘的說了後把門關上，『姑母也剛剛前幾天來——你的叔父弟弟都睡在祖母的房間裏。』但我的心還是跳動着。走進了祖母的房間把東西一放，掀開了祖母的牀帳，看見祖母同弟弟並着枕朝壁的睡着。祖母的面龐格外瘦削了，頸項差不多肉是一些也沒有了，若不是一張棗皮般的黃皮包着，簡直是一個骷髏了。我的淚便很迅速的流下來了。我的心彷彿被針陣陣的刺着一般。

『祖母！祖母你的孫兒來了！』我拭着淚輕輕的喊着。她慢慢的掉轉頭來好像用着很大的力氣般的把眼微微的睜開來。『祖…母…！——！』，我很微弱的說了祖母兩字，再也說不下去了，好像喉兒塞住一般氣也接不上來了。我想哭又恐驚擾了祖母病中的心靈，我的心是完全碎裂了！

『哦！翰兒，你來了?』祖母的聲音幾乎低微得不能聽見，我看見她的淚沿着眼角滚下去了。『朝，起來，你的哥哥來了。你去做些點心給他充飢。』祖母喊着熟睡的弟弟說。

『祖母，我不要吃，讓他睡着吧！——你現在覺得怎樣了？祖母！』我說了後注視着她枯瘦的面龐等待她的回答。我是完全被未來的恐懼攫住了。『翰！你……金柑……柑買來……了沒……有？』她問所未答的問起我金柑買來了沒有的話，我竟茫然了。叔母見我不能回答，便說：『我們本來老早有信給你的，叫你快些回家，幷帶些金柑來。祖母差不多想金柑吃已有一個月了。但是在鄉下二月裏那裏有金柑？後來等你等不來，於是又接連的寫了三封信。難道你沒有接到信嗎？』這樣我方才明白我所接到的信是第四封的信了。我看着祖母的眼睁睁的等我回答的情形，我眞感到不知所措的悲哀了。

等到祖母睡着以後，姑母也醒了；我便問她們祖母的病是怎樣起來的和現在覺得怎樣了的話，叔母便一五一十的講給我聽？最後姑母說：『我前兩天叫瞎子算母親的命，說是不久人世了。叫我們預備後事爲要。』她說到這裏嗚咽起來了。『倘使母親死了，你們孤零零的二兄弟將怎樣？』姑母的低泣撥動了我的哀弦，雖然我是不相信瞎子的話，但年老的

祖母能經得起這樣二次的劇烈的病嗎?全身顫抖冰冷隨着姑母的低泣終於由嗚咽倚着椅背哭泣了!這一夜我想着過去未來,我眞感受着痛苦了。

第二天祖母的病格外加劇了,但她的心却因之也格外清楚了。我很記得,當敲過十點鐘以後,她使叫我坐在她的牀前,她告訴我某地方竹山有多少租錢可收,某地方田地有多少租穀可收,她的舌頭好像已捲縮一般,說起話來非常含糊使我不能聽清。她說一句話,我總要問三遍方才聽清。那時弟弟和我見她突然說起這種遺囑般的話來,已是悲傷得欷聲吞淚不可仰了,但祖母的面龐一些也不顯出悲痛悽慘的苦容,好像溫和的上帝降臨在她身邊,仁慈的太陽光已照在她的四周一般,一些也不覺得哀傷,一些也不下淚。她只說:『你們哭什麼?哭了我心糊塗,』那時叔父從他店裏走上來,祖母說:『你吃了中飯,馬上帶了你的兒子來。因爲我是要去了』我聽了這話,心裏好像刀割的放聲大哭起來了。『祖…母,你…你去…了…我…我和弟弟…將…將怎樣…辦…呢?』『你現在年紀大了,不要緊;所…

難……難着……你……你弟……弟……耳！雖然……你……的弟弟也有十……八歲……了。好……在你……你總……不會難……難……爲……他』她把眼睛注視着弟弟，弟弟更哭得利害了。

這樣延遲到十二點半。『現在我要去了，你們　都……要好……好的過……日子。川，（叔父名）我……死……後……你……要……照　顧……他……們……兩……個……苦……兒……弟呀……』她說話漸漸的低了下去，一個個字的好像暮鐘的聲音在蒼黃的暮色中漸漸的消滅了一般。同時她的眼睛遲鈍起來，只有從口中吐出來的氣，沒有從鼻子吸進去的氣了。祖母的歎息聲，最後的那一聲。我記憶得很清楚很清楚。姑母大聲的喊了一聲：『母親！你竟這樣去了嗎?』我明白祖母死了！我明白祖母死了！我被悲哀頓時弄成癡獃了，我伏在祖母身上大哭得昏迷了。

叔父和別人怎樣的料理葬事，我都不知道，一切都不知道；我日夜睡在祖母牀前。想了一回，哭了一回；哭了一回，想了一回。最後將祖母裝在深黑的棺木裏，却深深的記着，『丁，』

『丁，』敲着幾下棺木釘之聲，便將祖母的身體永遠和我隔絕了！我是再也不能看見祖母的慈祥的容貌了！唉！『丁！』『丁！』上帝！祖母！

祖母死後，『砰』的一聲便把家裏的門關了，一家人家就此告一個段落。因弟弟喜做生意，我也便把他安插在一家店舖裏學商。而我自己就從此開始過我的流浪的生活了，紹興，杭州，甯波，上海，……一直到現在總算在這萬惡的上海找着了一個非我所願的但迫于生活的困難的——一個很痛苦的破飯碗！

暑假時，因爲收田租，回家過一次，同時我得着弟弟的同意爲他定了一個妻子，現在預定明年結婚。大概祖母在地下也贊同我的吧？雖然在鄉下有『大麥勿割割小麥』之譏議。至于我爲什麼不替祖母在時給她討一個孫媳婦安慰安慰她，以及祖母死後爲什麼先給弟弟討妻子自己做了一個「臍落大伯，」那我在這篇「兩種力」裏面已明明地說過失戀的故事了。現在一面重溫着已往的戀史，一面痛思着祖母在時爲我悲痛勞苦，我的心簡

直是沒是一處不破碎的了。我咀咒上帝，我痛罵上帝：『你給我人世的日子太長了！』

這篇「兩種力」自然寫得很壞，無論那一方面，但我實在很喜歡牠，因爲牠是我的實生活的記錄。後面寫戀愛的一節，似更太簡單乏味，而且太沒結構，但事實上是如此，我不喜歡另外去意想出來參加修飾。雖然我碰着那個愛人的時候的情形和實在的碰着時的情形不同，但因有另外的苦衷，我是很痛苦的把牠改換了。法國莫伯桑說得好：『愛情的歷史，本來只是一齣永遠相同的舊戲，我遇見伊，愛慕伊，這就包括盡了。』我眞愧把這種簡單乏味的戀史寫出來，而且眞的一些沒有動人奇特的地方，

這篇「兩種力」最先看的是我的老師夏丏尊先生，他說：『還寫得好，不過太長了，最好把後面一節寫戀史的地方統統删掉，獨立上一節爲一篇』。我當時聽了很以爲然，但拿來自己再一看，終歸不能删去，好像自己做的東西非常寶貴，删掉這許多總覺得可惜。現在我重抄的時候，删去了不少累贅的地方，但這一節戀史又總歸沒有删去。『文章千古事得

失只自知』我的確感到這樣了。

一寫附記，就寫了這許多，眞是出我意外。

窗外的秋風秋雨仍是很悽涼的吹擊着窗子，彷彿在爲我同哭悲慘的命運一般，而一聲聲的蟋蟀，更是刺人心窩痛得欲死；

死去的祖母呵！

長棄的愛人呵！

這顆心——我這顆破碎了的心，

幾時才得回復去我了的靑春——歡樂！

十月廿三日記于悽風苦雨之夜。

流浪

子瑾：

子瑾半年不通信了，今天突然接到了你從王君地方轉來的一封信——詢問我的近狀以及懇切的規勸我糾正我種種弱點的信，我讀了于這般地驚喜好似在黑暗的夏日黎明裏隱約地聽見了半睡半醒的鳥兒歌唱，朦朧地看見了微細的晨光上了窗子之外，我眞感激得要下淚了！可是子瑾，你的友人是太不中用了，你的友人是到了不可救藥的地步了；他只是日日向下沉，日日向下沉；沉到最深的悲哀的底裏去，沉到滾滾的潦倒的浪中去，彷彿他在這個世上只有個行將就木的軀幹在行動着，至于他的靈魂是早已沒有了。換句話說，他是在步步的離開了人間，漸漸的走近了墳墓了！哦！子瑾，再說一句，我東西流轉，已是飽嘗着日落後的蒼茫了，還有什麼方法來完全我這顆久經苦難的碎心呢？我又要叫咒上帝，

子瑾，他給我人世的日子是太多了！

現在雖然承振華書局經理好意暫住在這裏，但我的心是沒有一日不在寂寞和熱鬧當中來嚼我運命的苦味的；傷心之餘，姑將我快成一年的流浪中的生活約略的報告給你聽吧，匪云無病呻吟，聊因彼此好友才敢發洩一下胸中悲悶耳！

上年二月間祖母死了；你大概總知道的，我就在那時——料理祖母喪事後——開始來過我流浪的生活。一方固然由那極度的悲痛刺激所致，一方也是爲了住在這種零落的家裏煩燥極了，想到別的地方去蘇醒蘇醒我的靈魂而走的；至于去流浪，我那時是一些也沒有存心的，只想上年就是這樣過去，準備下年開始找飯碗，然而子瑾，那裏曉得竟會一直到現在還是如落葉般的在秋風下輾轉着呵！哦！我眞個是一個流浪者了！

七月裏爲了找飯碗事，在甯波，杭州，上海，蘇州，來去，來去，也不知跑了幾𨑨了，可是舉步儘是些荊棘遍生猛虎叢聚的地方，你想從那荊棘遍生地方去撥開一個隙地，好似一樁比

登天還難的事情，而使得你不能掙扎一步，微吟一聲；雖然我的心中充滿着悲憤得難忍了，憂愁在我眉間緊鎖得不能展開了，但這種如沙漠般的人間可對着誰——對着誰能一吐我滿腹的痛苦，對着誰能一訴我胸中的憤懣，他只是如蛇般的細般的橫亙在我胸中，緩緩的抽緊着我，使我日夜不得安甯；日夜飲聲吞泣！我想起昔日在學生時代，一種充滿着希望，完美的前途的熱情，每逢着人家對着我微笑的讚揚着，我的眼前便呈現出絢爛的光明幸福的前途來，彷彿我的稚弱的心靈被未來的幸福激動着而活潑的跳躍起來了，而且每逢着人家談起別人的事業的事情，用我的未來的光明前途的驕傲，總冷笑他們懦弱無能，彷彿一個人在社會裏找不着事業做，是世界上最沒用的人了，是世界上的廢物了，無論如何找一個白吃飯的地方總容易得很呵！子瑾，曾經抱着這樣驕矜的自負，這樣樂觀的前途的種種底想念的人，現在一入了現社會當中，社會就給他這樣一條冷森森陰悽悽的箭痕，他怎得不對于這人間戰兢而驚恐，由這戰兢而驚恐；他怎得不對于這人間絕望而痛哭！絢爛

的前途已由春花換成黃葉，未來的幸福一變為深夜的幻夢，子瑾，這樣，他的靈魂又安得不徜徉于悲哀之深淵——悲哀之深淵的底裏而求毀滅驅殼之想呢？原說這是現時我們貴國青年中煩悶時所犯的時髦病，但我的環境和遭遇那時一齊併集心上，真不由得使我哀痛而生出這種想念來了；唉，子瑾！……

到了八月中，還是沒有找着吃飯的地方，此時中心的焦急和憂傷真難以筆墨來形容。身邊從友人處借來的五元錢，也已將告罄了，而且常住在那個親戚的店裏，心裏更感到種種的不安，那時恨不得逃往僻靜地去痛哭一番才能舒洩我心中的悲哀。雖然有許多朋友們，安慰我給我想法子尋出路，可是在這齷齪狠毒的上海社會當中，非金錢，非勢力，誰能瞧得起這般窮小子，他們的說話，好像在無際的大海裏偶然的起了一個泡沫，又誰能有這閑功夫來注意他們；至于我想狂叫，又還不是如大海裏的泡沫嗎？我想痛罵又還不是如螞蟻的聲哭嗎？沒用，沒用，只是我身邊常隨的伴侶憂悶苦痛，緊緊的跟着我如患神經病者在滿

街如龍如虎的車馬當中躑躅——徘徊。

在這無可奈何的痛苦當中，那時我很想跑到遠方的北地沙漠中去，來避開這殘酷熙攘的人間，就是死我也情願死在那荒涼的沙漠中，看黃沙緊緊的要蓋着我身上如上帝特意爲我這孤苦的人兒安排着我孤獨的邱邙。可是——子瑾，種種的理智逼迫着我，又使我在這熙攘爭奪的人間忍耐着憤慨低聲地攢謀——找尋，希冀得着一個安身的地方。我是如何的悲苦呵！我是如何的傷心呵！

大約在八月底的時候，費盡了二虎九牛之力，總算承一位從前在中學校時代的教國文的W先生介紹給我到東白書店編輯所裏做校對，那時我眞感激得要跪在他的足下了。彷彿一個在遠地作客的人，突然間碰到了一位同鄉就當作自己親人一般的喜歡得滴下眼淚一樣。我覺得在這沙漠般的上海灘上，還有個久未會面的W先生能夠了解我給我設法，我的黑暗的前途好似頓時看見了一線曙光在閃耀引導着我一般了，我恨不得把那位

W先生狠命的擁抱着很親熱的叫他一聲父親才好。于是我告訴他如流水般的告訴他我自上年來的家庭的劇變以及各處飄流的悲苦的生活給他聽，希望他于了解我之外能夠同情我這失業的痛苦，可是他聽了只說了一句：你們青年人總歸太以感情用事了。那時我聽了也沒有回答他只問他東白書店到底有進去的可能否？什麼時候我來先生這裏聽回音？他說，今天我和東白書店經理去接洽，明天上午你到我這裏來吧。子璀，回來後的那一夜，我簡直一整夜沒有安靜的睡着。你想，一個被人遺棄了的孩子，驟然間得着了一個能夠可憐他顧卹他的人，他是如何的涕泣着喜歡呵？所以我不能睡着也正因那種劇烈的喜歡太壓迫着我胸脯上的緣故。雖然我也想職務雖低，但比了現在般的住在這裏流氓不算流氓白相不算白相總好得多了，況且我東西飄蕩只是爲了沒有職業的緣故呵！

到了第二天我便挾着滿懷希望便很早的跑到W先生地方去，走到那邊，他剛剛起床在廊下漱口；等到他面洗畢後，我便迫切地問他事情怎麼樣了。他說。「我昨天去接洽過，起

初那位經理，彷彿有些不答應的樣子，說他們人已經用足了，後來經我幾番的訴說，他才答應。不過薪水方面總不大，因爲他們編輯所裏人已經很多的原因。事情大概總不會十分忙碌的。不知你願意不願意去。」子瑾，我那時聽了他的說雖然感到這事情進行得不大爽快有些怫然，但子瑾，說來說去總是受了生活的鞭撻，不由得你說出一個不字來。況且他說事情不會十分忙碌的，那我或者可以乘這機會讀些書，空閒得多的時候還可以自己練習練習文章，于是便立刻答應了他去。經他和我同到東白書店介紹之後，我就搬入了我破舊的行李開始來做我另一個生活了。

起初走進那邊，因同事的不熟識和初校稿子的不順利，常時感到沉寂沒趣，有時竟會拿着筆把眼睛注視着白灰的牆壁沉思起來。沉思些什麼，我自己也不知道，心中只是充滿着空虛——無聊，而且如有亂絲般的東西緊纏着心上，使我緊蹙着眉頭悶得要死，「密司忒王，你想什麼？」等到坐在我對面的一位編輯先生這樣在喊我了，我才仍低俯着頭校閱

擺在我桌上的種種稿子。可是我的心仍是飄蕩在虛幻之中。

今年八九月裏的天氣好像比往年特別的寒冷得快，在九月初二這天早晨我起來校對稿子的時候，猝然不知從什麼地方飄來一片青黃色的桐葉在我案前翻滾一會，便在我稿子上平鋪着了。彷彿他懼怕秋風的摧殘特意竄到我這裏人煙稠密的秋風所吹不到的地方來休息一下子一般。我拿起這片落葉把玩了一回，便深悟到秋已來人間了，我鄭重地把那片落葉夾在我一本詩集上面。于是我想到我身上穿着的還是一件灰色的海昌藍布的單衫，突然間彷彿感到有些寒意了。「夾衫總要去做一件」我這樣一想便又感到自己的皮袋裏只有二角小洋了，而且以後買香煙錢也都在這二角小洋之內，又不禁傷感起來了。「在這裏校對還沒有做到一星期，大概拿錢去總不好意思的，而且現在薪水有幾多也不知道。」沉思了一會，决定還是到那個親戚地方去想法子，等到有薪水時馬上去還給他們。下午空閒的時候便去親戚地方商量，總算費了十三元錢，從成衣店裏買了一件茄色嗶嘰

的夾衫回來。「屋漏偏遭連夜雨，船遲更遇打頭風。」子瑾，不幸人的遭遇總是不幸的，任你怎樣的防範也總逃不出命運的掌中的。大概買來夾衫後一星期光景，在晚上因天氣突然悶熱的緣故，便開了窗子睡覺。——我在這裏先要說明白，我住的屋子是一間狹小的亭子間，開窗望下去便是一條珠海里的總弄。我睡的時候，是把夾衫掛在牀架子上面的。等我第二天早晨醒來，便發見了夾衫沒有了。這一來眞使我驚恐得把心突突的跳個不住，連忙彎起我的身來，還疑惑是落在地上了，可是一看沒有，就是連同夾衫掛在一處的海昌藍布單衫也沒有了。子瑾，此時心臟的跳躍和一種焦急的情狀，我眞形容不出萬分之一。但心想總以爲昨晚把夾衫放在皮箱中或別處去了，開箱，翻蓆，編輯室，連餐室裏……如被强盜搶刼般的東不好西不好要尋一個祕密的藏所似的忙亂。可是不但夾衫沒有看見，就是連單衫也去得無影無蹤。我的心被一種焦急的悲哀壓迫着，簡直連氣也不能喘了。于是跑到住在間壁亭子間二位同事地方，勉强的裝着笑容說：「你們把我一件夾衫藏在什麼地方去了？

」雖說那二位同事是老年人，決不會和我作玩的。但我那時全力的希望他們把我的夾衫在作玩。「沒有藏過，怎麼不見了！」我的眼淚從心底湧起聚在我的眼眶，我便轉回頭來說一聲大約賊先生給我拿了去吧？他們檢一檢衣服都不曾損失一件，便跑到我的亭子間來。「怎麼夜裏你窗子沒有關嗎？」他們說後我注意着我的窗沿發見一個很大的足影。子瑾，我此時的心好像被利刀戳了一刀一般，我不怨賊先生別人地方不偷只偷我二件長衫，我只怨我的運命——我的命運啊！怎麼會舛錯到這般地步！

這天我早飯也沒有吃如瘋子般的只穿着單衫短褲在附近的當店詢問，可是都回答「沒有」二個字。回來時經理先生對我說在弄角裏傭僕發見了一件藍布長衫，不知是你否？我跑過去一看，我把長衫披在身上只說一聲賊先生還有些良心；不至使我穿着單衫褲捱冷。

子瑾，在這裏我應該告訴你的是：怎麼人類中的同情心會淪沒到這般地步？當我這天

走進編輯室時，除了經理先生說了一句，「怎麼夜裏可以窗子開得睡覺，要曉得上海地方賊是很多啊。」一半責備半驚告的話外，我所得到的其餘編輯先生以及校對先生的聲音只是哈噴哈噴的鼻音，我不禁在痛恨自己的不小心的悲傷之中頓時我的全身禁不住的顫抖起來了。子瑾，我不相信，不明瞭怎麼人類中的同情心會淪沒到這般地步？固然我的夾衫偷去了，不關他們的事，並且我內心也並不要求他們的同情心，什麼你真不幸呀！可憐呀！這類的話來安慰我，但是他們畢竟是人類呀，怎麼對于別人不幸的事情含着他的面應該哈噴，發出鼻音來使他更難堪呢？子瑾啊！是世界的末日將臨了嗎？是人類的應有的殘酷嗎？我又有何言！我的眼淚除流向腹底外，我的哀傷只緊鎖在祕密陰冷的心房！

這樣一來，子瑾，我對于他們的感情愈壞了，除和他們同桌吃飯外，一種人與人的恐怖壓迫着我，使我簡直不敢和他們招呼談話了，所以雖然在那邊做下了二星期的校對仍是和初進去的時候一樣的隔膜孤獨。至于再想去買件夾衫，只有在夢中去實現了。子瑾，在這

悲憤慘傷情景之下，于是我就萌着去志了。雖然編輯先生給我稿子的時候，叫我校對得快一些，可是我仍是很緩慢的，而且間時仍來作我幻想的美夢。彷彿故意要使他們對我難堪，經理先生可以來斥除我的職務一般。子瑾，這樣的情形，現在仔細想起來，竟連自己也會苦笑起來了，怎麼那時感情會狂熱得這般樣子連自己的飯碗也樂意的拋棄起來了，一些也不想着未找着飯碗時的焦急和困苦的狀態？青年人的感情呵！子瑾，我畢竟是完全被我那一般熱烈的感情的挑撥在這世上淪落了，就是到了現在——現在仍是這樣！……

子瑾，我清清楚楚的記得在那邊校對做了二十三日這一天，他們總歸給我抓着要出來的機會了。那一天上午，我正在校稿子的時，經理先生拿了一本古裝書走到我的桌前來，他說：『你不要校稿了，現在暫時把那篇文章抄好吧，因急于要付印哩。』他翻開了那本書指給我一篇文章就去了。我把那篇文章拿來細細的一看，是一篇名人的序文，足足有六十多頁。子瑾，霎時間我的心火便勃勃的向我腦上噴發上來了，在這裏我是來做書記嗎？我的

職務規定是書記嗎我讀了這許多年數書我的技能只配做校對書記嗎?我感到被人侮辱般的氣忿了,我的雙睛好像烈火在燒着,我的雙手也好像因這過分的氣忿使我劇烈的顫抖了。我的全部的理智那時完全消滅得無影無踪,只是我的滿腔熱烈的感情烈火般的熊熊的燃燒着。我非辭職不可,辭職……辭職……我不管辭職後仍要感到失業痛苦,我更不管辭職後將到什麼地方去吃飯,或者要餓死在街上荒野……總之這種殘忍冷酷的地方不可以久留,我非辭職不可。子瑾,我那時的心簡直要爆發了一樣。最後的決定我便向孫經理假託了自己有病的緣故,就這樣悄悄的也不管他答應不答應,把行李搬出來仍然住在那個親戚的店中了。

子瑾,一只安安全全的飯碗就是這樣的被我自己的雙手輕輕的給他敲碎了。

住在那個親戚的家裏雖然他們是不要我宿費的,可是膳費總至少要給他們幾元錢。然而子瑾!連買香煙錢也沒有的窮人,怎麼能拿得出這幾元錢來呢?秋風已狂吹得使上海

灘上的蒼天呈現着灰黯的顏色，而一陣陣的寒冷更是刺入肌膚得難受，子瑾，穿着一件海昌藍布的單衫的我，只有每天深躲在他們的樓上擁着一條破毯子索索的戰抖啼噓！啊子瑾！初走入社會中而失敗的我，此時眞是傷心得莫可名狀了！

在東白書店編譯所出來後，雖說做了三星期，但我原是悄悄地出來的，所以並沒有問他們要薪水。大概離出來後四天吧，我接到那個經理先生的一封信，大意是說：我沒有答應你出來，你怎麼這般匆忙的連說也不說一聲就走呢？敝所原不是你所願意做事的地方，但聰明的你，總應該讀些書或另找合意的職業，不要這樣流浪過去才好。並附上洋六元，乃是你前月在敝雜誌發表的一篇小說的稿費。啊！子瑾！我讀了那封信，雖然我走的動機是完全爲不滿意他們而走的，但那時確有一種說不出的悽然之感，襲擊我的酸心，我眞流下淚來了。而這封信裏那個經理先生對我說的一種富有愛護同情的話，在我感激之餘，我又頓時痛悔不該前日以一點氣憤的感情而出來了。而且憑着理智更想到自己種種的謬誤；痛悔

怨恨一齊壓迫着我的心上，我不由伏在桌上痛哭了。子瑾！夾衫偷去了，飯碗敲碎了，世上沒有痛苦能比這更難受了！雖說到了糊塗潦倒的現在，有時想起，還是苦戀着那東白書店慘傷不已！

接着東白書店出來後一星期，第二只飯碗又來了。可是說起這只飯碗的來歷，倒也奇怪得很，他並不如前面這只飯碗般的要費了很多的口舌以及請人介紹的艱苦，明白些說，這只飯碗是送上門來的，不用費口舌也不用請人介紹而得來的。子瑾，你看到這裏要說一聲「你這種人有這樣不用費力的飯碗送給你」吧？但子瑾，事實上的是如此，請你聽我慢慢道來。

有一天，大約是九月廿八日這一天，我因閒着沒事買了份報紙看看，看到本埠新聞欄上，突然在某機關裏的某一部的職員名單裏有我底名字，我當時看到奇怪起來了，我與于各種機關裏是可說絕對沒有活動的事情的，而且根本也沒有加入過什麼黨，為什麼有我

底名字呢?于是我便細查那個部長的名字,才知道那個部長是我去年在上海時同辦刊物的朋友,可是我總歸莫名其妙,因爲那個朋友沒有十分對我有這麼樣好的交情,而且今年一直來也沒有通信過,我能有一個這樣顧憐我的朋友嗎?我能有一個這樣沒有十分交情而還記念着我的朋友嗎?不覺好像得着安慰般的微笑起來了。但又想這樣的地方恐怕沒有辦事過的我做不來事情,而且薪水也不容易拿到的吧,便很想有一笑了之的態度。恰好那時朋友淨沙君剛從杭州回來看我,他也是同我一樣的東西流浪的人。大約你也認得他的。談了一回之後,我便說起報上的事,他極力主張我去,他說:『橫豎你在這裏沒有事情,不妨去嘗試一下也好。如果不喜歡,那你可以出來的。』于是我便寫了一封信去,問他確實不確實。接到了回信,是確實的,而且每月薪水有五十元錢。我眞高興得不得了,我的心完全被那五十元錢誘惑得熱騰騰了。于是拿了這封信跑到淨沙所住的振華書局裏叫他和經理商量商量,可否我可以住在他那邊——因我那個親戚的店裏距離那個機關太遠了,結果

經理答應了。子瑾，我那時暮冬底心又一變爲蓬蓬勃勃向榮的新春底心了，而且我又好像發現自己重又在生命的首途了。什麼景物事情都彷彿對我很快樂似的，都使我感着興味，于是我又幻想起這以後每月有五十元錢的比較豐富的生活來了。夾衫不容說是要做的，等到十二月裏再去做一件皮袍子，鞋帽也都要重新買過，總而言之，使平時穿得襤褸的我要變成一個時髦漂亮的人的生活。雖然，子瑾，我那時也預想這種機關裏的生活是冷酷的呆板的乏趣的，但我正想拿這種冷酷的生活來鍛鍊我的性情，希望把我全以感情用事的狀態改了去；無論人家對我怎樣的輕視侮蔑，也總要極力的自己忍耐下去，藉了這習慣來矯正我的天賦的性情而且更不要如在東白書店般的爲了一些些的冷酷氣憤就把自己的飯碗就丟了也不所顧惜。

子瑾，你看了我上面的話——自己糾正自己的話，如你現在給我的信的欸誠我的話一樣，大概你也很爲我欣慊而贊同的吧？而且你看到這裏，也一定在想你的友人現在是拋

棄了流浪的生活用冷靜的理智仍在那個機關內辦事吧？子瑾，如果這樣，你是受我的騙了！你的友人是把你懇切的熱烈的期望之花又用一陣暴風雨打落了！天哪！我的友人！我的希望我的友人！我是又把這只平安得來的飯碗用我自己的雙手敲碎牠了！我是又爲了僅有一些些的氣憤不滿而出來了！子瑾，你的友人是不中用了，你的友人是改變不過來了，雖然他儘有自覺的話，但說不定一分鐘後，他就會忘了去的，他是無時不在懺悔，而又無時不在製造懺悔的人呵！子瑾，我不容社會，社會不容我，在我心中所有的一些些的勇氣也是消滅得無影無踪了，剩下來的只是一塊塊的黑暗的冷冰的在我胸中占有着，使我哀痛得發昏，子瑾，沒有方法，我只有避開這人間，逃脫這人間！

子瑾，在這裏你或許要問我在那個機關裏是怎麼樣的一回事要使得我非出來不可的原因吧？好，我索性都告訴你吧，或者你對于現在一般人所操縱的各機關可以認識得清楚些，明瞭些，雖然我在那個機關裏只做了三天的功夫。

兩種力

我第一天去的時候很早，大約在七點鐘光景就趁電車去了。到了那邊，先到門房裏去訊，可是門房還是雙手揉搓着眼睛剛剛起來。我問他我所工作的那一部辦事處在什麼地方。他把眼睛重新再揉搓一下，緩緩的歪轉頭來對着我上下打量了一會大聲說：「你叫什麼名字？有什麼事情？」我輕輕的把名字告訴他。他說：「是，你是在某部的文書科裏面，不過現在辦公時間還沒有到。」我于是問他在什麼時候開始辦公呢？「九點鐘。」他說了一聲拿着面盆找開水去了。我把壁上掛着的鐘一看，到辦公時間還差一點半光景。為了要消磨這許多時候便出來到馬路上緩緩的踱着。「門房說我在文書科裏面，不知道寫來往的公函呢，還是抄寫文件？」我想到這裏不禁担心起來了：「做公函還可勉强，倘使如果叫我抄寫文件，那怎麼辦呢？」我看着我手腕上的一個小瘤突然——不，好像預感到又是和東白書店般的把戲了？滿心的快樂，彷彿青藍的蒼天突然罩上了一層烏雲一般，霎時間如蛇般的憂愁從我心底蜿蜒到我底面上來了。「怎麼辦呢？即使抄寫總也不會十分忙苦吧？五十

元錢一月哩！况且是做革命的工作，又應該……哈哈，……」我想到這裏不覺又笑起來了。

從馬路上，折回來叫門房陪到那一部裏，差不多辦事的都到齊了。我見了那個機關裏的祕書長通過姓名，他便叫我坐在室之一角裏的一張破舊的寫字臺邊。我細看那祕書長穿着灰色呢的洋服，細削的面龐，大而深凹的眼睛架着一付玳瑁邊的金絲眼鏡，鼻子高聳着，說起話來帶着破啞的聲音，着實森嚴得可怕；我于是想到革命者是應該帶有嚴肅不可侵犯的神色的。同時我又感到自己底渺小了。他在案上寫了幾行字便說：「你是這裏文書科助理員，抄寫來往公函文件的。」他的眼睛向着地板這樣嚴肅的簡單的說了後，便又寫他的文章。我那時疑惑他這話不是對我說的，因爲他的眼睛並沒向着我，便問他是不是對我說的？「是。」子瑾，那時我聽了一聲「是」以後，「果然！」這樣一想，好像有一桶冷水從我頭上倒到腳跟一般，不禁全身戰慄起來了。「果然是抄寫！果然是書記！」我的情感如火燃着般的頓時燒遍我的全身了，「我……我不……會抄……寫……」我幾乎要說出來了，但我極力

的壓住我勃發的情感，便連聲念着喃無阿彌陀佛「忍耐些！忍耐些！」

中飯吃過後，那位祕書長對我說：「王同志，請你做一篇告青年的宣言，文字要簡潔短鍊，快一些。」我答應了一聲是之後，便開始做起「青年們呀，要革命呀！」來了，但我總懷疑着宣言為什麼要我這助理員來做？他們考試我的筆墨嗎？還是他們沒有功夫呢？大約做了二千字光景，我總算把這篇淺浮的不實際的宣言做完，便交給那祕書長，他看了點了點頭便又交給我四五件公函：「把這些去謄清了，快一些。」我雖然看了別的幾個文書員空閒着有些氣憤，但我總忍耐着把牠抄完，子瑾，那時我手腕上的瘤已隱隱的在作痛了。

第二天是紀念週日，照他們的議決三次紀念週日不到須革除職務的，我因那時剛進去，如不到，恐受他們的譴責和教訓，于是到了九點鐘我仍穿着一件那唯一的——唯一的海昌藍布單衫在嚴厲的秋風吹着寒冷的早晨當中抖索着前去。到了會場中差不多已沒有空隙的座位了，我便在最後一排的座位上占了一席，那時某部長在講台上報告最近間

的政治軍事狀况，我一些也沒有聽見，只聽見滿座中嗡嗡的如蜜蜂般的竊語聲，有時某部長突然說得重一些，便聽見乒乓乒乓的拍掌聲，使得我的頭腦悶得發昏。政治軍事狀況報告後，一個穿着簇新漂亮的洋服的部長演說了，他的聲音很重，兩種手握緊着拳頭輪流的一伸一曲好像用着很大的力量要打倒什麼東西的一般。可是他的論調什麼我們要革命呀！在現在的時候，非革命不可！……我聽得多了，聽得爛熟了，所以聽了幾句也不再聽下去了，便把我的眼睛移向四座的同志們上奇怪，在我前幾排的座位上突然看見有一縷縷的青煙在繚繞着上昇，把鼻子一嗅，不言而知是在吃香煙，子璜，這一來非同小可，把我的煙癮也引起來了，于是摸出了香煙也想來吃了，可是又想會場上可以吸煙嗎？做紀念週的會場上可以吸煙嗎？便又把香煙輕輕的藏在袋中，但是煙癮好像如虫般的從我胸中爬起爬到喉上鼻上……使我難過得一刻也止不住了。偶然一回頭，在旁邊的一排座位上又有幾縷青煙在繚繞着了，而那個部長好像剛在演說得很吃力般的拚命的也在狂吸着他的香煙，

子瑾，這樣又一來我眞有四面楚歌之勢了，忍不住，無論如何忍不住我的煙癮了，可是因總爲自己怯弱以及地位底微的緣故也總歸不敢把洋火來燃着吸起煙來，只是把我那支從香烟盒中抽出的煙在袋中拿進拿出，也不知有幾次了。最後我只得出來在辦公處來吸我的香煙。子瑾，僅僅這點看來，我是一個如何的怯弱的人呵！所以你在信內勸我要振作起來換一個方向來走走——革命，我是無論如何不配呵！說不定會把我自己底命也要被我革掉了呵！子瑾，怯弱的人呵！我是一個如何的怯弱的人呵！

這一天因爲是紀念週，下午不辦公的，所以吃了中飯便立刻跑出來了。

到了第三天——也是我在那個機關裏的最後的一天，我因爲到那個親戚的店裏搬行李，走到那個機關裏已是十點鐘了。在路上深恐到遲被祕書長的訓責底想念果然實現了。「王同志，你有什麼事情，到來這樣遲？以後倘使有事情，須得早一日向我告假，否則是不行的。你要知道我們做革命工作的人第一是要遵守紀律哩！」那個祕書長的眼睛本來是

深凹的，此時因爲要保持祕書長的威嚴的緣故，那雙眼睛睜大得更其像兩個深的黑洞了。至于弱小的我，此時酷如僕人被老爺叫去直站在他的面前受着極厲的責罰般的恭敬如也的低俯着頭紅着面龐，聽着他的訓言只是連聲的答應着幾個「是」。才退到自己的座位上呆坐着。可是子瑾，奇怪，那時我聽了祕書長的譴責，一些也不覺得氣憤，只是照這個樣子似乎有些奇離得太像演着影戲般的使我發笑了，但是一抬頭看見祕書長的兩個黑洞直視着我，我又低下頭無意的把眼睛看着幾張綠格子的稿子了。子瑾，這就叫做所謂開眼的影戲，白日的影戲！

「把這些公文通告都謄好，快一些，馬上要發出去。」某科長拿了一卷的稿子拍的一聲擲在我的桌上。那時我便因剛才受了教訓的可笑便遷移到那科長的身上發氣了。「你們一科裏的稿子也要我謄抄嗎？」這樣一想便恨恨的把那稿子一推直挺挺的坐在椅上，眼看着別人談着女人看着小報急速的喘着氣發憤。但是總于理智驅使着我，又使我忍住

氣把這些東西抄完，而我手腕上的小瘤又劇烈的在作痛了。可是抄完後接着祕書長又拿來了一卷的稿子，擺在我的桌上，而且他私人的信札也要我給他謄清，子瑾，人非木石，到那時我畢竟忍不住了，忍不住我的熱情如火山般的爆烈了。「祕書長，我是你私人的書記嗎？你私人的信札為什麼也要叫我給你謄清」，我說了後感到面龐如火般的燃燒着了。「你是這裏文書科助理員，文書科助理員就是抄寫一部裏的稿子的，你知道不知道。」他冷冷的說了後，對着我還發出哈哈的笑聲，「是，我的職務是抄寫，我所說的是你私人的信札也要我給你謄清嗎？難道我是你私人的助理員嗎？」我握緊了雙手立起身來，恨不得把他一拳打倒才覺得痛快。「正因你的職務是抄寫呵！」子瑾，我的理智沒有了，其實在這樣情形之下，你想，我還用得着理智來判斷我辭職後的生活將又成一種怎樣的狀態嗎？那時我滿腹的憤恨使得我全身也都顫抖起來了。我不甘在這種自私自利的而名義上掛着革命底招牌的奸詐者下面吃飯，我非出來不可，難道這裏不做事情會餓死嗎？于是我拿了帽子對

祕書長說一聲：「那末我辭職」便跑出來了，這樣簡捷的又跑出來了！

子瑾，當我跑出了門口，站住了雙足，向梧葉落遍的馬路上一望，「現在到那兒去呢？」一這樣一想，不禁兩行眼淚迅速的脫離了眼球在頰上流動着滴滴的落在我的胸上了。確實的，「現在到那兒去呢？」竟把我的心如布般的裂破了。換句話說，子瑾，我那時的心是完全被傷感鑽空了！我想起了東白書店，想起了以後的生活，想起了……一縷縷的熱气升上我的胸來；我怕發見那將來失業的痛苦和奇怪的奸詐的人心的眞在，只得壓住了滿腹的痛苦來自慰：「那是一個夢，只是一個夢。」唉！子瑾！……

子瑾，我昨天一口氣寫到這裏，無論如何也寫不下去了。我痛悔自己的脾氣不好，我痛悔自己不會隨世俗潮流而生活，我簡直無法在這世上謀生了。我又一想起從前像海洋般周圍包着地球的一樣底狂偉的希望，——子瑾，你當記得，我們在中學校讀書的時候，談起將來，我的氣概沒有一日不是不可一世的。——而今，而今竟在低聲呻吟裏生活了！我的心

便忍耐不禁的痛了！有時我的神經失去了控制的能力，也往往沉溺于最快樂最適意的幻想裏生活着，可是等到醒來，那種消失樂境的失望也往往使我對照着而得到絕大的悲哀。

因此我由失意而悲哀，由悲哀就走到種種使人頹廢的而甘于沉溺這種境界置身體金錢也所不惜了，換句話說，我不願在這世上生存着，情願把自己這副行尸早毀滅一天就快樂一天了！唉！子瑾，初次走進社會為了這一些失意的遭遇就這樣自暴自棄起來，就這樣對于人世絕望起來，你想，我這種人還有什麼方法可以得救嗎？我將終其身淪落于煩悶之淵了！你來信勸我確定意志奮發起來同這人世來作一度劇烈之奮鬥，子瑾，其實我何嘗不在作這樣想，深夜捫思的情光，我何嘗不在這樣握緊雙拳搥着這副行尸想作一番熱烈的事業，快樂的事業，稱心的事業，有成績的事業，娛樂的事業來滿足自己安慰自己，使我對于人生有着目的不至在寂寞頹喪中虛度過去，但子瑾，我的至友，任我怎樣自勵怎樣感發，只要我一想起我連年來頻遭死喪的家庭——父母沒有了，祖母沒有了，所有的只是一個年

幼的弱點。以及前二年在N地幾次失戀的事情，我覺得世上一切，什麼都不能使我愛慕留戀，只曾得感着我底誠實的作偽，反之我覺得無論什麼人都可以有奮發進行努力的可能，而我則只配這樣流浪——這樣流浪着來過我在世的寂寞底日子。子瑾，確實的，這樣的想來想去也不知有幾日幾夜了，但所得的結果，總歸是後者的一種占勝利。你想，我還有可以奮發底餘地嗎？我還有能和人世奮鬥底一日嗎？雖然「奮發」「奮鬥」是我所不敢來反對的名詞。

子瑾，寫到這裏我索性也把近來的生活狀況報告給你聽吧，原說是這個使你愛我的人所最引以為不幸的事情，但我確乎已把我的身體來開始糟蹋了。

子瑾，從那個機關出來後我因為窺透我自己是為着沉痛地悲傷着一切，為着窺透種種失意的痛苦的印象而生存，而且由于這富于熱情的感覺力，使預感到這殘酷的生命之網已將我周密的置住，使我一步也不能掙扎；子瑾，你是知道底，我本是一個毫無不好底嗜好

的好靜的人，到這地步我便什麼也不管了，終日只打牌。看戲，跑遊藝場，來消磨這痛苦的時日，希冀避免這個確定的痛苦，所以從那個機關出來後，一星期對于東白書店那個機關我本來視為最可痛苦的事情，到那時雖然也在常時想起，但已變為一樁可憐憫的事情了。到這裏，子瑾，你當知道我頹廢的情形是到了一種怎樣的地步了。可憐的你底友人。……

本來我住在振華書局是一樁最慚愧的事情，我既不是股東經理，又不是伙計先生，怎麼可以白白地住在那邊呢？但子瑾，不知怎麼，一個人到了落魄的時候，他的臉皮也好像厚起來了，再說那時友人幸之也因為失業的關係來新華書局住着，他是比較同新華書局有關係的，而且那個經理也很同我們聲氣相投，于是我和淨沙也不管他們怎樣就老着臉皮住着了。失業人碰在一起，當然是不作正經事的，更何況我那時是正想找各種的娛樂來避免此時的痛苦呢？子瑾，這可憐的畸形的來避免痛苦的娛樂啊！

我們起初每日不是打牌，終是看影戲。大概下午看影戲，夜裏打牌，打牌每夜總要打到

一二點鐘才睡覺，第二天十點鐘起來，吃了午飯就去看影戲，差不多這樣子是我們每天的工作。雖然有時他們不去看，我總歸是不落空的，好像一天不去就失掉了一樣東西一般。這二種娛樂比較起來要算打牌最使我忘神了。差不多四個人一齊把牌整好豎起，我就把什麼身受的痛苦都忘懷了，丟在于九霄雲外了。全神都灌注在各樣的牌上，每逢上家打下一只牌的時候，如其可用的，那末這只牌是不是應該吃還是碰，便把全個的腦子都注在已打出的牌和預料未來的牌上用思想了。而且每當牌豎起的時候，尤其是可以做一色的時候，總希望牌一只一只能夠如意的拿進來，如其中，發，白，有一對或者一只的時候，也總希望他早些碰出或者拿進一對來。這種熱切的希望心恐怕無論遇着什麼事情的希望心能夠及得他這般的熱烈，除非想得着女人的愛的希望心以外。這個眞使你全身也會得燃燒起來。如其是一色而且已經聽好某只牌的時候，天哪，眞會使你面色蒼白四肢顫抖而至人事不曉哩！你是會打牌的，當亦每嘗個中之滋味矣！

我們牌打得不大，所謂衛生麻將是也。自由，快樂，……我眞要說一聲「別有天地」「桃源世界」了！

至于看影戲，固然也能使我忘形，但過後往往使我煩悶不堪的。所謂時髦的國貨古裝影片，我是從沒有去光顧過，所看的都是舶來的外國片子。外國片子所取的材料因為都是些哀艷動人的戀愛的情節，所以富情感的我也往往為他灑同情之淚而想到自己所曾經歷過的浪漫的事跡傷感起來。而且動魂的甜密的接吻擁抱以及富有誘惑心的飄忽的顫抖的肉體，使從未遇着過這種銷魂的境界而且正渴想找這種生活來調劑苦悶的現在底我，有時我的淚珠竟會如線般的吊下我的胸上來了。有時我又想起二年前的失戀的事情，也竟會不相信戀愛當中怎麼會有失戀二字如波浪般的起伏着進行？記得有一次我看了開映小仲馬作的茶花女之後，我感動，興奮，竟至雙手蒙着臉嗚咽了。倘使那時不是黑暗所包圍，座旁的人一定要目我為神經病者了。她的戀愛是這般的偉大，如地球包圍着一切，她

的戀愛又是這般的認眞，如鐵釘埋釘在鉄板子瑾，我完全被那神聖的純潔的戀愛壓迫着不能呼吸了！我又不相信現在時髦的女子視戀愛如小孩視玩具般的就自爲高尙自由而悲哀了！子瑾，你是知道底，我那個在N地碰到的女子呵！子瑾，我一對比我覺得渺小之外我又痛追昔日而傷心了！這把戲——令人可笑可驚的把戲呵！

子瑾，大概這樣我在影戲場混了幾星期我因發現自己又被沒由來的悲哀所襲擊，我便又轉換方向到游藝場京戲園去斷混了。

在游藝場，我除了看京戲——髦兒班之外，我是什麼也不去看的，雖然在游藝場儘有許多所謂野鷄刹牌者，穿着紅綠的衣服以及擦粉擦得如石膏像般的朦瞳的在我眼前飄來飄去，但我只覺得頭痛。雖然有時我也爲她們這種賣淫的生涯的苦楚而起微微的同情，但也不過微微吧了，過後我就覺得她們盲目的糾纏而起極大的麻煩討厭的感覺了。所以我只是在髦兒班裏看戲的。

我是最富于平凡想像的，當每個坤角出來的時候，我就想像她那是胸部那是乳房，那是臀部，……覺得好像有一股肉的氣息直鑽入我的鼻孔裏來，使得我迷亂的眼睛望過去，變成了種種的幻影，這幻影，雖然有時使我慚愧，但有時我覺得沉在這迷茫的幻影中，也使我非常快樂舒適。平時本來一有嘈雜的聲音，我腦子是要發昏的，可是現在在這髦兒班內，儘有許多的叫喊的聲音和震耳的銅鑼聲鼓聲，我好像獨自一個人般的在這戲場內欣賞歌喉舞影，一些也不覺得煩燥而且銅鑼聲愈敲得響，我的精神也愈加振作起來，把雙眼睛用全力的注視着台上。每當一個坤伶出來的時候，歌聲還未出口，我就大聲的拍着手掌了。好像我的靈魂完全攏在每個坤伶的身上而不自覺了。我只是在拚命的接近我的理想的另一個世界裏描摹狂想。

在這髦兒班內，要算一個飾青衣花衫的年紀可十八九的小素蓮——也是在這班內掛第一塊牌子的最使我注意了，也是最使我爲她起狂妄的想念的。只要一輪着她唱戲還

未出台的時候，我就運用全身的精力眼巴巴的等着她出來，而且我的雙手也很自然的響亮的擊拍起來了。銅鑼聲鼓聲那時也好像為她助威般的很起勁的敲起來了。等到她一出來，全場的掌聲，就好像雷聲一般，她一起歌喉，全場都屏聲靜氣的聽着。她能把各人的視線操縱着，她飄到東，你就不由己的把視線跟到東，她舞到西，你也就不由己的把視線跟到西，她簡直是全場觀衆的焦點，全場觀衆的上帝。觀衆為她笑，為她哭，為她瘋狂的喝采拍掌，簡直是發癡了一般。她一壁漫聲的歌唱，一壁又將全場的觀衆迷住在她溫柔的挑逗的眼睛的轉動之下，子璀，我那時也確實被這種迷惑在不知不覺中已支配着我的全身了；每次她的眼睛如一朵鮮花般的飄投到我的座位一邊，我就覺得自己被一種極大的愉快陶醉着，我夢想着她是注意到我，同我顧盼，我切實的感到這種蠱惑，便也不覺受了男性的本能的激動把我的視線不時的向她拋投。子璀，這種動作現在回想起來雖然幾乎是非意識的，但我那時也確覺的在情熱的目光裏表現出來了。

她舞着時，她的姿態是這般的美麗，她的面上是怎樣的有種柔情照映着；她的嘴是這般的紅，這般的誘惑，這般的會給以人最美妙的接吻，我一思量，那簡直是一個可口的甜蜜的果子！她的全部的胸膛，在粉紅色的衣裳裏湧了起來，跳舞時，宛如大海裏的浪花一樣；子瑾，我一展開這種幻景，一個香甜的紅嫩而溫柔的東西便在我眼前蕩漾着了，我渴想它，我愛慕它，我讚美它；但可憐呀，只是像寓言裏邊說的一只狐狸見了很高的牆上掛着隱藏在葉叢下的美麗的葡萄般的垂涎而焦燥。上帝呀：我是入了怎樣興奮的狀態呵！而且她的發達的臀部，富有曲線美的臀部，更是別的坤角所引爲缺憾的而她獨綽約的具有着，使人感到她的整個的形體美之外，又確實的被她這特有的美迷住了；她輕柔的擺動時，一種劇烈的肉的感覺直使人聯想着而不能自持呢。

在這樣被肉感壓迫着的情形之下，有時我的眼睛真會由看得見某種東西而迷炫得如重霧蒙着了一般了；有時頭腦比較沉靜的時候，我想起現在一般所謂主張戀愛是彼此

精神的結合或彼此心靈的投契使劇烈的反對着了。我覺得這般人根本是胡鬧，虛偽，我又覺得他們是于肉慾滿足之外感到無聊才發出這種論調來騙人來博得偉大的名譽的。至于那時我的思想我覺得戀愛說是什麼精神結合心靈投契等是絕對沒有這回事的，只是男女的獸性發展以及喘息于柔和的肉體間的舒適快樂吧了。換句話說，所謂戀愛也只是我們被一種狂熱的肉慾和好奇心逼迫我們渴望着所想知道的肉體——它的各部分的一切我們以爲神秘物的另一個名詞而已。然而子瑾，說不定一分鐘一刻鐘我一回想這種大胆的思想我又覺得自己太卑鄙了，太可怕了。

這種變態的畸形的心理，子瑾，我想只有我這種神經質的人才有的吧？可憐！

天氣在上海一天一天寒冷起來了，今天我起來的時候，在屋上竟蒙着了一層濃霜，而我的性情也好像隨着這天氣只爲一天一天陰沉善感起來。上面已經說過本來我到遊藝場裏去的目的是爲了避免痛苦去斷混的，可是事實上却不然，如看小素演戲般的我往往

起着種種矛盾的想念而悲哀，而且每逢演做荒唐的如舊小說裏面人物般的遭遇悽慘一些，我也往往會隨着伶人的演唱起極大的同情而落淚；有時那個人物得神明俠客小姐等援救而出險，我也會妄想着我現在這樣落魄的時候怎麽會沒有一個人來脫救我逃出這陰慘的苦境。所以我常時對友人淨沙談起自殺，我說只要自殺後如投河深林裏去上吊能夠得着像做戲以及舊小說裏面般的有關人來救起認爲義子，而且將自己的女兒嫁給你，後來讀書考狀元，這樣子我就會去自殺。子瑾，這是多迂腐無聊的思想呵！淨沙這人，你是知道底，他雖然現在也是爲了一些失意的事情而失業，然而他是一個最能奮勉而且最富有革命性的人，所以他也常時勸我不要這樣頹廢自餒，可是我好像已是個日落的人，無論如何也不能把這堆死灰復燃起來。有時我自問何以會到了這般地步，我也只有傷心而流淚！

這是一樁很自然的事情，一個人經過了特別的挫折時，他就拚命的深刻的追憶前事而生孤寂的悲哀，現在我就在這個情形之下生存着。一星期來，我自發現我的痛苦不能被

各種娛樂所驅除時，——其實我也沒有這筆多錢到這種娛樂場去厮混，從朋友地方借來的二十元錢以及自己賣稿來的幾十塊錢差不多一起都丟在這種娛樂的地方了。于是我就想看書來消遣這痛苦的光陰，但是一翻開書眼睛就蒙着了什麼東西一般，而且。你雖然竭力的按住性子把一個一個字看下去，而我這粗心仍是墜落在不知什麼思索之中。我追憶着種種零碎的往事，追憶着種種浪漫的塵跡，直使我的眼淚眞會直滴下來而不止。子瑾，這眼淚不是初春霏霏的細雨，這眼淚不是晚秋悽涼的碎雨，這眼淚，這眼淚呵，簡直是炎夏一陣霹靂的暴雨！就是下雨時，也仍使人悶熱不堪！你能說我這眼淚太不值錢了嗎？你能說這眼淚太不純潔了嗎？子瑾，人們說一流眼淚就會使人痛快，減少一些苦悶；我真不信我的眼淚了！

經過一番流淚之後，繼續就是想探求人生的意義，于是我靜靜的思想着推究着，我又深跌入在悲哀之淵了！子瑾，人生本來是沒有究竟的，而我偏要去探求追索，這不是無異于

自殺嗎?所以你來信勸我用寬容的態度來觀看人生,這樣神經質的我能做得到嗎?總而言之,子瑾!總而言之,你的友人是不中用了,你的友人對于他的人生已是厭棄到十萬分了,還有何說!有時我想在這世上得知人事以來一計算只有六個長年,其中除了十五年不知不覺以外,前途正遠大得很,正應該來修養一些學問將來做一些自喜的事業才是;可是這六年呵,子瑾,傷心,我已頹廢慘喪到了這樣地步,以後還堪設想嗎?子瑾呀!怎不使我心痛!

子瑾,寫到這裏,我萬不能抑止住我胸中的憂傷了,就此算了吧;而且這樣寫下去就是幾日幾夜也是寫不完的,也是不能消我胸中底悲哀於萬一的,雖然上面這大篇的話是你所不樂聞的,是你更為你的友人所憂悶的,但……子瑾,可憐的你底友人呀!

我本是一個神經過敏的人,所以住在振華書局我是一刻也不能安定的。雖然他們待我很和善忠誠摯懇,但我有時往往會把他們待我的真誠和善等反變為疑心猜忌仇恨他們來。有一次,經理在罵學徒:「這樣懶得做懶得整理的,難道我們來叫你吃白飯嗎?」我聽

了這句話，就疑心他們一定是在討厭我了，一定是在借着罵學徒的口氣罵我這個吃白飯的人了，于是我就很不安的猜忌他們起來了。現在好了，那個經理已對我下暗示的婉轉的逐客令了。可是這原因極奇怪，據說是外界造謠說那個經理在羅致青年設立某某機關，子瑾，這是何等的可笑可驚奇的事情呵！當然，我住在振華書局是沒有什麼名目的，不過我沒有吃飯的地方想揩些油吧了。其實這裏他們已經給我住了一個多月，也應該走了；現在這樣一來倒反而危害他們不利他們，更是應該走了，不過經理對我一番的熱情忠實，于感激之餘，眞是使我這個流浪者不安了！子瑾！我當如何的來感謝他來放下我胸中的不安的疚呢！

本是想昨天離開這裏的，可是現在錢都用光了，就是自己心急得速卽要離開這裏，也沒有法子。上午我向一個朋友借錢，說明天可以給我，拿到後我就卽刻離開這裏——離開這地獄般的沙漠般的上海灘了。至于離開上海後，回家呢還是仍到別處去奔跑，那我現在

還不能決定。唉！如浮萍般的你底可憐的友人呵！

唉！子瑾呵！當我失魂墮落得就是星兒瞧見我而亦閉其閃爍的眼睛時，而你獨能賜我以這般的誠懇的勸誡的熱愛的一信，我是如何愉快和幸福呵！可是子瑾，不幸現在我乃非你信內般的所望的人物之時，我又是如何的悽楚和悲哀呵！

手腕的瘤作痛了，…………

唉！子瑾，再會！我來這人世之海，難道應當盡這人海的苦水而死嗎？…………

再會！子瑾！…………

十六年十二月十日作

跋

斯曠

翰哥因爲教書煩忙沒有閒空寫文章，在這已排完待印的「兩種力」上，要我代他說幾句話。

記得還是去年秋風初吹，翰哥流浪在滬的時候，我就答應爲他底詩歌小說合集寫一篇跋。如今書已排完，我還沒動筆。而這半年來兩人離散了，因爲音信底鮮通，翰哥頗有疑我忘了朋友之意。現在握筆寫這一篇跋，除了踐我約言之外，還想消除翰哥對我的誤會。雖然明知道自己寫不出什麽來的，尤其在這學校生活將告結束此後的生活絕無把握的現在；但爲了那個，我終於下筆了。

翰哥和我是許多朋友中最怯弱，環境最相像的。我所有的，是一個破敗的家，一個白髮的母親，和一個寂寞的面孔。翰哥，自從去春祖母長逝後，他是沒有親人，沒有家，命運比我更

塞厄了；然而寂寞的面孔，我們究竟仍是一樣。兩個寂寞的面孔黜聚在一塊時，老是呆呆地對坐着沈默無言；這個常給靜子等以對我說笑的材料。

「兩個沈默的人！」這是靜子底話。

翰哥是一個沈默的人。這沈默當然是環境造成的。翰哥除了和我一樣的爲貧困所窘迫外，還受過愛神殘酷的嬉弄。所以他底生活經驗比我要豐富得多，他底心上的創傷自然也比我深劇。

這本集子裏所收的，就是憑了他豐富的生活經驗，用了纖秀的文筆而寫就的作品。這裏貢獻給朋友們的，是他底血，他底淚！他底被同類擠壓出來的血和淚！

關於他底作品，我不想加以批評，這批評底任務應該讓給讀者諸君。不過我現在要提出一點來說，這就是他作品中底誠摯，誠摯的作品當然不能就是偉大的傑作，但誠摯的態度和文學是不能分離的。尤其在輕浮虛僞流行的近來的文壇上，誠摯的作品，似乎不多見

到吧。

拉雜寫了這一點，也不想再寫下去了。

我們忘了個人的哀愁，奮臂而起，去爲大多數比我們還要不如的被壓迫者吶喊罷！

——這是我希望翰哥接受的一句話。翰哥我們共同努力！

一九二八、五，二七，下午四時於泰東

兩種力

四

兩種力後記

得海舫兄來信，知道『兩種力』已將印就了，趁此機會，對于我這本『兩種力』便想說幾句話。

這裏面都是我四年來所寫的東西，除了不喜歡的揀出外，差不多都收在這裏面了。當然，我曾經做過以上這許多夢，雖然這些夢是最平凡不過的，頹喪的；或許人們見了要慢駡我咒咀我；但我不管，因爲這些夢本來是我的，我所以要寫這些夢，就因爲這些夢叫我這樣寫的緣故。至于我爲什麼要把這些夢在現在這個時代裏顯露出來，這也因爲雖然這些夢是過去了，但在我心裏却刻下一個很深的傷痕，想紀念紀念我這過去的二十一年的生活吧了。

現在——我的夢呵！你去吧！不要再來——永遠的——糾擾我的怯弱的心靈了吧！

兩種力

去吧！我的夢呵！

我的夢呵！去吧！

十七年六月三日記

中華民國十七年六月出版

書　名　　　雨稀力

著作者　　　翰　哥

發行者　　　趙南公

總發行所上海泰東圖書局

全書一册定價大洋六角

外埠函購郵費加一

印數1——2000册